prisme

PRISME

PRISME

PRISME

PRISME

prisme

n° 42

2003

prisme
prisme
PRISME
prisme SME
prisme
PRISME

La revue PRISME, fondée en 1990.

Comité de direction :
Patricia Garel, Marc Girard, Martin St-André

Rédactrice en chef :
Patricia Garel

Comité de rédaction :
Jean-François Bélair, Lucie Caron, Louisiane Gauthier, Michèle Lambin, Alain Lebel, Lee Tidmarsh, Angeles Toharia

Secrétaire de rédaction :
Denise Marchand

Comité consultatif :

Pierre Asselin, Louise Baillargeon, Luc Blanchet, Louise Boisjoly, Marc-André Bouchard, Geneviève Diorio, Yvon Gauthier, Jean-Marc Guilé, Gloria Jeliu, Louise Lafleur, Marc Laporta, Michel Lemay, Alain Lévesque, Klaus Minde, Hélène Normand, Sylvain Palardy, Jean-Pierre Pépin (rédacteur en chef fondateur), Sylvie Rhéaume, Philippe Robaey, Maryse St-Onge, Jean-François Saucier, Paul D. Steinhauer (†), Pierre-H. Tremblay

Correspondants :

J.A. Barriguete (Mexico), M. Elkaïm (Bruxelles), B. Golse (Paris), M.O. Goubier-Boula (Neuchâtel), A. Guédeney (Paris), J.Y. Hayez (Bruxelles), F. Molénat (Montpellier)

Comité administratif :
Patricia Garel, Gratien Roussel

Révision et correction des épreuves :
Denise Marchand

Conception de la maquette :
Devant le jardin de Bertuch

Infographie :
Madeleine Leduc

Responsable du site Internet :
Louis Luc Lecompte

Diffusion :
Luc Bégin

Abonnements :
Thérèse Savard

Distribution en librairie :
(Québec)   **Prologue Inc.**
(Europe)   **Cedif-Casteilla (France), Vander (Belgique), Servidis (Suisse)**

Les articles de la revue sont répertoriés dans : **Base Pascal de l'INIST – Repère de la SDM**

La revue PRISME est membre de la SODEP.

PRISME bénéficie de l'appui financier des organismes suivants :

**Assurance vie Desjardins-Laurentienne
Eli Lilly Canada Inc.
Organon Canada Litée**

La publication de PRISME est assurée par les Éditions de l'Hôpital Sainte-Justine.

© Hôpital Sainte-Justine 2003

ISBN : **2-922770-82-6**

Dépôt légal :

**Bibliothèque Nationale du Québec, 2003
Bibliothèque Nationale du Canada, 2003**

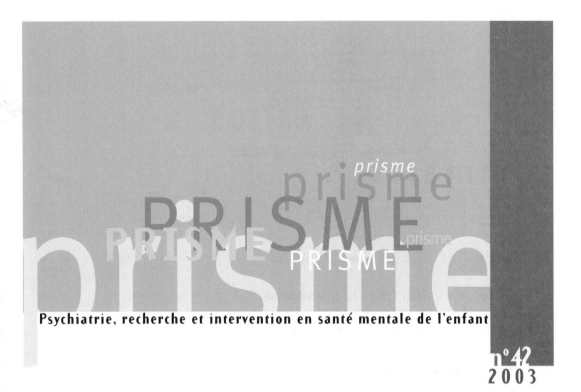

prisme
prisme
PRISME
PRISME
prisme
PRISME
prisme

Psychiatrie, recherche et intervention en santé mentale de l'enfant

n° 42
2003

(Défis et promesses
en recherche clinique
infantile)

prisme

prisme

PRISME

sommaire

sommaire

PRISME

n°42

(Défis et promesses) en recherche clinique infantile

Coordination: Nicole Nadeau et Denis Lafortune

Inévitable rencontre...

La recherche clinique est un thème lourd de promesses et de défis, tel que le suggère le titre de ce numéro de PRISME. Promesses, car personne ne conteste en 2004 l'impérieuse nécessité d'orienter nos interventions cliniques selon les principes de l'«*Evidence-based Medicine*» ou des «données probantes» qui nous invitent à proposer des traitements validés scientifiquement et non pas subjectivement. Défis, car personne ne conteste la complexité du recueil de ces données probantes, en particulier quand elles concernent des sujets mineurs. Défis encore car presque personne ne conteste les difficultés supplémentaires inhérentes au domaine de la santé mentale, entre autres par le biais des enjeux du développement, de la ligne à tracer entre normal et pathologique et de la précision des diagnostics.

Le bilan de la situation peut sembler accablant puisque la plupart de nos interventions (psychosociales ou médicales) ne sont pas validées (Hoagwood, 2003; Mc Clellan, 2003). Nous travaillons quotidiennement auprès d'enfants, d'adolescents et de parents aux prises avec des dysfonctionnements majeurs en ayant une idée généralement approximative de ces interventions. La rencontre entre la clinique et la recherche apparaît donc inévitable. En est-elle pour autant évidente?

Force est de reconnaître le climat pour le moins inconfortable qui entoure le sujet. L'inquiétude, l'incompréhension, et les efforts trop souvent déçus alimentent des tensions réciproques qui vont parfois jusqu'aux accusations à peine voilées, à une certaine condescendance, sinon au retrait défensif. L'identité professionnelle de chacun semblerait menacée par cette rencontre, rendant le sujet passionnel, les sujets susceptibles et les interprétations rapidement subjectives. Même l'apologie du «clinicien chercheur heureux» de la *post-face* ne réussit pas complètement à nous transmettre la sérénité qui pourrait émaner de la clarté et de la conviction des propos de l'auteur. Il doit donc y avoir d'autres raisons à ces tensions au-delà des besoins d'affirmation de soi, de défense légitime de son territoire, de langages différents altérant la communication... Ne sommes-nous pas *tous*, cliniciens, chercheurs et cliniciens chercheurs, confrontés à une réalité éminemment complexe que nous ne pouvons éviter ni les uns ni les autres, semée d'obstacles et de pièges, que les auteurs de ce volume tentent d'analyser et de contourner ensemble?

Au centre de cette réalité, l'obligation de soigner et la nécessité de valider l'efficacité de ces soins. Autour de cette réalité, un contexte scientifique, politique, économique et social qui dicte les règles du jeu après en avoir reconfiguré les lignes de force sans toujours tenir compte des dimensions éthiques.

Cette inévitable rencontre, tout comme la complexité de son contexte, a été récemment mise en scène de façon éloquente par le débat médiatisé sur l'utilisation des antidépresseurs chez les moins de 18 ans. Un avis récent de Santé Canada demandait aux médecins de réévaluer la pertinence de la prescription des nouveaux antidé- presseurs aux patients de moins de 18 ans atteints de dépression majeure. La prudence suggérée par Santé Canada faisait suite à une controverse lancée en juin 2003 par la *Medicine and Healthcare Products Regulatory Agency* britannique devant les résultats de trois études non publiées menées par la compagnie Glaxo sur le Paxil qui concluaient à une augmentation des comportements suicidaires (3,4 % vs 1,2 % dans le groupe placebo) sans que l'efficacité du paxil ne puisse être démontrée dans le traitement de la dépression majeure par rapport au placebo. Ces résultats divergent d'ailleurs d'une étude antérieure publiée qui en aurait démontré l'efficacité (Keller, 2001). La compagnie Glaxo (Paxil) et plus récemment Wyeth (Effexor) ont décidé de «*contre-indiquer*» l'utilisation de leur produit auprès des nouveaux patients de moins de 18 ans. Aucun suicide complété n'a cependant été rapporté dans ces études. Ces avis ont suscité une certaine perplexité et de nombreuses questions tant méthodologiques qu'éthiques et financières dans les milieux cliniques et académiques (Connor, Brent et Riddle, 2004) car ces effets secondaires liés à un syndrome sérotoninergique étaient connus depuis l'utilisation du Prozac, c'est-à-dire depuis plus de dix ans, et l'impact positif de l'utilisation judicieuse des antidépresseurs chez les adolescents a été souligné par plusieurs auteurs comme s'étant accompagnée d'une baisse du taux de suicide complété (Olfson, 2003).

Il ne s'agit que d'un exemple mais qui a permis de mettre en évidence plusieurs questions cruciales, telles la nécessité de préciser le diagnostic de dépression majeure, d'exiger d'autres études contrôlées sur ces médications, d'interroger le flou décisionnel entre protection du public et protection des grandes compagnies pharmaceutiques face aux risques de poursuite, et non la moindre, de contester le fait de ne pas rendre publiques des études qui ne démontrent pas les résultats escomptés...

Cette controverse a eu l'avantage de rappeler la prudence indispensable avant de prescrire chez des enfants et des adolescents. Elle a aussi souligné la position inconfortable des médecins. Ces derniers font face dans leur pratique quotidienne à des enfants aux prises avec des difficultés psychopathologiques telles que la médication apparaît souvent indispensable. Il n'est pas question alors de se retrancher derrière l'absence de données probantes. Plutôt, le clinicien doit se baser sur une analyse rigoureuse de la situation, sur ce qui a été publié dans la littérature, sur l'évaluation des bénéfices escomptés comme des risques de la prescription, et partager cette démarche avec les parents et l'enfant afin d'obtenir un «consentement éclairé». Cette démarche concerne l'ensemble de nos interventions tant préventives que curatives, médicales et psychosociales.

Ce concept de «*consentement éclairé*» est à nos yeux une des clés de la rencontre entre cliniciens et chercheurs. Il se situe à un croisement éthique commun, contient les notions fondamentales de *risque* et de *bénéfice*, incarne la tension nécessaire entre besoins individuels et collectifs (Hoagwood, 2003). Il illustre concrètement l'indispensable union de la recherche et de la clinique. Les mariages de raison ne sont pas les moins féconds et l'acceptation vigilante et assumée d'une dépendance mutuelle est probablement garante du succès de cette inévitable rencontre.

Patricia Garel

Références

Connor D, Brent D, Riddle M. Paroxetine and the FDA, Letters to the Editor. *J Am Acad Ch & Adol Psychiat* 2004; 43: 127-130.

Hoagwood K. Ethical issues in child and adolescent psychosocial treatment research. In: **Kazdin A, Weisz R.** (eds) *Evidence-based psychotherapies for children and adolescents*. New York: Guilford press, 2003: 60-75.

Keller MB, et coll. Efficacy of paroxetine in the treatment of adolescent major depression: a randomized, controlled trial. *J Am Acad Ch & Adol Psychiat* 2001; 40: 762-772.

McClellan J, et coll. Evidence-based treatments in child and adolescent psychiatry: An inventory. *J Am Acad Ch & Adol Psychiat* 2003; 42: 1388-1400.

Olfson M, et coll. Relationship between antidepressant medication treatment and suicide in adolescents. *Arch Gen Psychiat* 2003; 60: 978-982.

Santé Canada: www.*hc-sc.gc.ca*

PRISME

Avant-propos

> L' histoire de la science est indispensable à celui qui veut établir sa pensée dans le domaine scientifique. L' histoire, en effet, nous rappelle sans cesse une notion fondamentale (...), à savoir : la science n' est pas quelque chose de statique, de dogmatique, de révélé d' un bloc, mais bien plutôt quelque chose de dynamique, une marche ascensionnelle, longue et pénible, vers une vérité toujours incomplète et relative. Et c' est surtout à l' histoire de la science qu' il faut rapporter la magnifique conception pascalienne «que toute la suite des hommes, pendant le cours de tant de siècles, doit être considérée comme un même homme qui subsiste toujours et qui apprend continuellement».
>
> Frère Marie-Victorin
> Flore Laurentienne

Que signifie *clinique*, dans l'expression *recherche clinique*? Ce terme désigne-t-il uniquement la recherche menée par les médecins ou pour les médecins? S'applique-t-il aussi à l'activité de chercheurs issus de différentes disciplines, évoluant dans un contexte de soins, au chevet du patient? *Clinique* oppose-t-il l'hôpital (clinique) à la ville (épidémiologie) ou au laboratoire (fondamental)? Ou renvoie-t-il plutôt aux recherches qui se veulent tournées vers les pratiques et l'action soignante?

En réponse à ces questions, nous soutenons l'idée que la recherche clinique n'est ni le propre d'une discipline, ni l'apanage d'un lieu. Elle se définit plutôt par son objet, une condition humaine dite pathologique considérée dans un contexte de soins. Comme toute entreprise de recherche, la recherche clinique implique une démarche inductive et une autre déductive, une activité d'observation et une autre de théorisation, auxquelles s'ajoute une troisième activité, qui en est une d'application.

Gaston Bachelard, dans *Le nouvel esprit scientifique* écrit: «Quel que soit le point de départ de l'activité scientifique, cette activité ne peut pleinement convaincre qu'en quittant le domaine de base: si elle expérimente, il faut alors raisonner; si elle raisonne, il faut alors

(10)

expérimenter.» (1934, p. 7) Dans les disciplines fondamentales, ce mouvement de va-et-vient se fait entre le raisonnement théorique et la recherche expérimentale. Par contre dans le champ des sciences sociales et de la santé, ces oscillations de l'activité scientifique impliquent souvent un troisième pôle, celui de l'application. Ainsi, une expérience ou une observation de la réalité fait d'abord réfléchir celui qui se définit comme un *chercheur clinicien*. Ce dernier théorise. Ensuite il oriente sa démarche vers une application, voire une retombée, laquelle sert à vérifier la validité de ses hypothèses.

On aurait donc tort de limiter la part de la *clinique* aux seuls pôles de l'observation (l'expérience clinique) et des retombées (la pratique clinique). Dans le processus de recherche clinique, une condition humaine pathologique considérée dans un contexte de soins est plus qu'une réalité à observer, plus que la cible potentielle de certaines applications. Elle fait plutôt l'objet d'une activité scientifique en trois temps, reliant observation, théorisation et application. Paraphrasant Bachelard, nous suggérons que, «quel que soit le point de départ de l'activité du chercheur clinicien, cette activité ne peut pleinement convaincre qu'en quittant le domaine de base : si elle expérimente, il faut alors raisonner; si elle raisonne, il faut appliquer; si elle applique, il faut ré-expérimenter et ainsi de suite».

Passer ainsi de l'expérimentation au raisonnement et à l'application exige d'importants efforts de synthèse. Le lecteur remarquera que plusieurs textes constituant ce dossier de PRISME traitent de rapprochement, d'intégration ou de *mouvements d'information*. Ces contributions font de la recherche clinique un processus complexe, aussi riche en défis qu'en promesses. Sans ces oscillations de l'activité scientifique, l'observation de la réalité clinique risque d'être anecdotique, la théorie de la clinique, un échafaudage stérile et peut-être pire encore, la pratique clinique risque de se tenir à un ensemble de techniques ou même à un ésotérisme fait de croyances personnelles.

Denis Lafortune   *Nicole Nadeau*

Adopter, délimiter, décrire en les dépouillant de leur cortège de variétés,

de larges espèces linnéennes contrôlées autant que possible

par des critères éprouvés, constitue la partie essentielle de ce travail.

Mais sur ce squelette qu'est généralement une flore,

nous avons voulu mettre un peu de chair et de peau,

faire courir dans ce grand corps les effluves de la vie.

Les espèces végétales sont situées dans un système d'antécédences temporelles

et spatiales. Le cycle vital de chacune d'elles

est une histoire qui se raconte, et toutes ces histoires s'enchaînent.

s'engrènent, s'équilibrent dans la grande mosaïque

que composent à la surface de l'exceptionnelle planète Terre,

les innombrables vies végétales et animales. Enfin, les plantes ont mille points

de contact avec l'homme, s'offrant à lui, l'entourant de leurs multitudes

pour servir ses besoins, charmer ses yeux,

peupler ses pensées : elles ont en un mot

une immense valeur humaine.

Frère Marie-Victorin

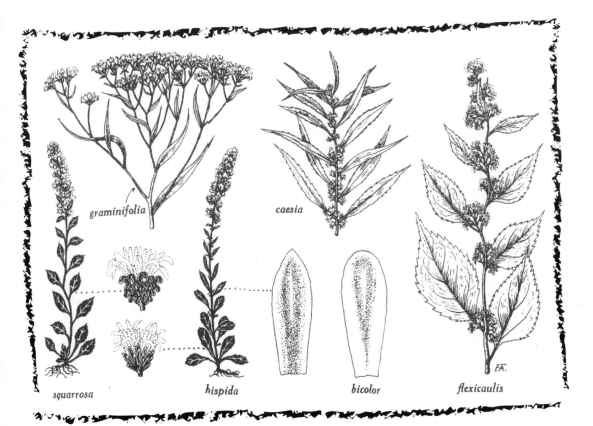

graminifolia

caesia

squarrosa

hispida

bicolor

flexicaulis

SOLIDAGO L.- VERGE D'OR, SOLIDAGE

La vallée du Saint-Laurent est sans conteste le pays des Verges d'or. Elles y sont nombreuses en espèces et innombrables en individus. Il y en a pour tous les habitats: pour les sous-bois (...), pour les champs sablonneux (...), pour les rivages d'eau douce (...), pour les tourbières (...), pour les sommets exposés des montagnes (...), pour les rivages maritimes (...). Quand vient l'automne, les Verges d'or mariées aux Asters, font de la vallée du Saint-Laurent un immense jardin noyé de pourpre et d'or.

Flore Laurentienne Frère Marie-Victorin, É.C., Directeur-fondateur de l'Institut botanique de l'Université de Montréal.
Les Presses de l'Université de Montréal, 3e édition, 1995. Illustré par Frère Alexandre (Éd. originale, 1935).

prisme

prisme

PRISME

PRISME

PRISME

prisme

Objets et méthodologies
de recherche

Objets et méthodologies de recherche

prisme

PRISME prisme

prisme

prisme

PRISME

n°42

L'épidémiologie en santé mentale de l'enfant
Regard sur le passé et perspectives d'avenir

David L. Streiner

L'auteur est directeur et assistant vice-président pour la recherche au Kunin-Lunenfeld Applied Research Unit et au Centre de gériatrie Baycrest affilié au Département de psychiatrie de l'Université de Toronto.

Adresse :
3560, Bathurst Street
Toronto (Ontario) M6A 2E1

Courriel : dstreiner@klaru-baycrest.on.ca

On m'a invité à me prononcer sur ce que je croyais être les principaux défis à relever en épidémiologie psychiatrique et sur l'évolution que connaîtra ce champ au cours des dix ou vingt prochaines années. Je m'acquitterai de cette tâche tout en indiquant les deux limites suivantes. La première concerne le fait que je ne suis pas pédo-psychiatre. De fait, je travaille dans un centre de gériatrie. Toutefois, la méconnaissance et la distance initiales par rapport à une question ne m'ont jamais empêché dans le passé d'écrire sur divers sujets et par conséquent, ceci ne devrait pas constituer un trop grand obstacle. Un deuxième point, tel que l'ont dit Niels Bohr ou Yogi Berra (la citation a été attribuée aux deux...) : «Toute prédiction est difficile, en particulier lorsqu'il s'agit du futur». Heureusement pour moi, mais peut-être pas pour le domaine qui nous intéresse, les méthodes en épidémiologie ont tendance à évoluer lentement plutôt que par sauts brusques ou inattendus, et par suite les extrapolations tentées à partir des courants actuels sont probablement moins risquées que celles que l'on pourrait avancer en parlant, par exemple, de la physique théorique ou même de la psychiatrie.

Il y a trente ans, personne n'aurait pu prévoir l'utilisation maintenant répandue des techniques d'imagerie structurale et fonctionnelle du cerveau qui nous permettent de voir précisément les aires mises à contribution lorsque des gens réalisent des tâches mentales spécifiques ou encore lorsque des patients éprouvent des halluci-nations auditives. Par contre, et à quelques exceptions près, tel le modèle d'analyse par modeling à niveaux multiples, plusieurs des méthodes d'enquête et d'analyse que nous utilisons aujourd'hui étaient déjà connues des chercheurs vers le milieu du siècle dernier. Dans cet essai, je ne traiterai pas de toutes les questions qui se posent dans le domaine de l'épidémiologie en santé mentale de l'enfant, des limites d'espace et la nécessité de terminer cet article avant de prendre ma retraite (d'ici dix ans...) m'obligeant à restreindre

(16)

RÉSUMÉ

L'auteur fait un survol des progrès accomplis dans le domaine de l'épidémiologie psychiatrique en considérant les cinq générations de recherches qui se sont succédé dans ce domaine, lequel était influencé jusqu'à récemment presque uniquement par le paradigme socio-psychologique. Discutant des méthodes utilisées en recherche clinique, il distingue les essais visant à démontrer l'efficacité d'un traitement de ceux qui cherchent à en vérifier l'utilité effective pour la pratique courante. Ayant fait ressortir les limites du système diagnostique actuel et les problèmes qu'il pose lorsqu'utilisé en recherche auprès de populations d'enfants, l'auteur considère les avantages de l'approche actuariale et des méthodes algorithmiques qui, tant sur le plan de la démarche diagnostique que des traitements, devraient prendre une place importante dans l'avenir.

l'étendue de mon enquête. Plusieurs de ces questions ont toutefois été discutées dans le récent rapport du NIMH intitulé : *Blueprint for Change* de Hoagwood et Olkin (2002) et le *Report Card* (Anonymous, 1995). Je m'en tiendrai donc à celles qui me semblent indicatives de nouvelles directions ou d'orientations futures.

Afin de mettre ce texte en perspective, il peut être intéressant de voir d'où nous partons. Klerman (1990) a souligné que des cinq principales «écoles» de psychiatrie (biologique, psychodynamique, sociale, interpersonnelle et behaviorale), c'est par le paradigme socio-psychologique que l'épidémiologie en santé mentale a été le plus influencée en Amérique du Nord. Les perspectives biologique et psychopathologique héritées de la psychiatrie européenne du XIXe siècle ont été plus ou moins rejetées.

Klerman tout comme Weissman (1995) mettent ce fait en évidence en discutant des «générations» qui se sont succédé en épidémiologie psychiatrique. La première génération, qui s'ouvrit avec l'enquête sur la prévalence des cas traités et non traités de troubles mentaux dans une ville du Massachusetts, réalisée par Edward Jarvis en 1885 (Jarvis, 1971) fut remarquable par son utilisation à la fois des dossiers hospitaliers et de personnes clés de la communauté, tels que des ministres du culte, comme sources potentielles d'information. Même si ces enquêtes se trouvaient limitées par la définition même des diagnostics, ces études faisaient déjà ressortir le rôle du stress et de divers facteurs sociaux – pauvreté, changements sociaux rapides, et anomie urbaine – en tant que facteurs précipitants des troubles mentaux – lesquels à ce moment étaient classifiés sous les termes d'«*aliénation*» et d'«*idiotie*»).

La période de l'Après Guerre 39-45 a été reconnue comme l'Âge d'or de l'épidémiologie sociale par Weissman (1995) tout autant que Klerman (1990). Ce fut l'époque des fameuses études du Midtown Manhattan (Srole et al., 1962) et du Stirling County (Leighton et al., 1963) qui portaient sur ces localités, et de l'enquête nationale réalisée par le Centre de Recherche de l'Université du Michigan (Gurin et al., 1960). Cette seconde génération fut marquée par l'introduction de la représentativité dans les échantillons, par des taux élevés de réponses et par l'utilisation de mesures d'altération du fonctionnement global plutôt que par les diagnostics psychiatriques peu fiables qui étaient alors en usage. Comme ce fut le cas dans la première génération, ces recherches tentèrent de démontrer la nature causale des facteurs sociaux dans les maladies mentales.

La troisième génération de recherches vit l'introduction d'entrevues cliniques structurées, tels que le *Present Status Schedule* (Spitzer et al., 1970) aux États-Unis, et le *Present State Examination* (Wing, Cooper et Sartorious, 1974) au Royaume-Uni; suivirent le *Schedule of Affective Disorders and Schizophrenia* (SADS : Endicott et Spitzer, 1978), le *Diagnostic Interview Schedule* (DIS : Robins et al., 1981), le *Composite International Diagnostic Interview* (CIDI : Robins et al., 1988) et plusieurs autres. Ces instruments étaient associés à des critères plus objectifs et plus fiables de définition des diverses catégories diagnostiques, qui furent d'abord opérationalisées par le *Research Diagnostic Criteria* (Spitzer, Endicott et Robins, 1978) et qui conduisirent éventuellement au DSM-III et à ses versions ultérieures. L'enquête *Epidemiologic Catchment Area* (ECA: Regier et al., 1984) qui comptait plus de 18 000 adultes recrutés dans cinq sites, et qui utilisait le DIS, est peut-être le meilleur exemple de cette génération de recherches.

La quatrième génération vit l'utilisation d'outils méthodologiques développés par la génération précédente – critères diagnostiques objectifs et entrevues structurées – qui furent rapportés à des échantillons tirés au hasard s'étendant au pays tout entier, comme dans le cas du National Comorbidity Study (NCS) aux États-Unis (Kessler et al., 1993), qui utilisait une version modifiée du CIDI, et du Community Health Survey au Canada (Beland, 2002).

Fait intéressant, la cinquième génération de recherches selon

Weissman comprend des enquêtes épidémiologiques réalisées auprès des enfants. Un des principaux résultats obtenus à la fois de l'ECA et du NCS était que la majorité des psychopathologies retrouvées chez les adultes avaient débuté dans l'enfance et l'adolescence (voir Eaton et al., 1997; Kessler et Magee, 1993; Kessler, Davis et Kendler, 1997) mais comme tel, il s'agissait largement de territoires encore inexplorés. Waddell et al. (2002) n'ont trouvé que six enquêtes épidémiologiques menées auprès d'enfants qui utilisaient une méthodologie rigoureuse, de multiples informateurs, et au moins 1 000 enfants provenant d'échantillons représentatifs. Deux de ces études – l'Ontario Child Health Study (Boyle et al., 1987) et l'Enquête Québécoise sur la santé mentale de l'enfant (Breton et al., 1999) – furent réalisées au Canada, une en Grande-Bretagne et trois aux États-Unis. À noter que, seule, l'étude faite au Royaume-Uni utilisait une structure d'échantillonnage s'étendant à l'échelle de tout le pays.

Plusieurs raisons peuvent expliquer l'écart noté entre les progrès qu'ont connus les études sur les adultes et celles impliquant des enfants et des adolescents, y compris des raisons d'ordre légal (dont la nécessité d'obtenir le consentement de l'enfant de même que des parents ou du tuteur légal). Dans la suite de ce texte, j'indiquerai quelques-unes des questions d'ordre méthodologique qui se posent actuellement, de même que certaines avenues de solution.

Un élargissement des paradigmes

Comme l'ont souligné Weissman (1995) aussi bien que Klerman (1990), l'épidémiologie en santé mentale s'est élaborée pour l'essentiel à partir du paradigme psychosocial. Depuis les travaux de pionnier accomplis par Faris et Dunham à Chicago dans les années 1930 (Faris et Dunham, 1939) et l'élan formidable des recherches de Hollingshead et Redlich (1958), la classe sociale, la pauvreté et les stress associés à la vie urbaine ont occupé une place centrale dans la conception des principaux déterminants de la santé mentale dans les populations. Encore aujourd'hui, plusieurs enquêtes se centrent sur des facteurs prédisposants tels que les données socio-démographiques, l'état des charges familiales (par ex., le soin d'un parent handicapé, ou le cumul de la maternité et d'un travail professionnel), l'origine ethnique, le statut d'immigrant ou une histoire d'abus, de même que sur des facteurs de protection tels que la présence d'un réseau de soutien, l'adhésion à des croyances religieuses ou le fait de mécanismes d'adaptation appropriés.

Si ces recherches ont contribué à une meilleure compréhension des variables sociales et psychologiques intervenant dans les troubles psychiatriques, il reste que plusieurs autres déterminants potentiels de psychopathologies sont demeurés exclus du champ d'investigation. On a par exemple proposé que les facteurs génétiques avaient un rôle dans la schizophrénie (Heston, 1970), les troubles de dépression majeure (Weissman et al., 1997), l'anxiété (Hettema, Neale et Kendler, 2001) et qu'ils étaient en cause dans les caractéristiques comme l'intelligence (Petrill, 203) et l'extraversion (Floderus-Myrhed, Pedersen et Rasmuson, 1980). On a assisté récemment à des tentatives de mesurer l'influence de facteurs génétiques dans des études à grande échelle portant sur des jumeaux (voir Kendler et al., 1996).

Dans une prochaine étape, il faudra s'affronter à la tâche beaucoup plus difficile de prendre en compte dans la même recherche des variables biologiques de même que socio-psychologiques ou environnementales. Ceci devrait permettre aux chercheurs d'examiner non seulement les effets propres à chacune de ces variables, mais aussi d'en saisir les interactions. Ce modèle de diathèse-stress[1] a été discuté pendant plus d'un demi-siècle (voir Kallmann, 1959) mais demeure pour l'essentiel non testé. Une exception notable, et un superbe exemple de ce que ce champ a à offrir, tient dans les études de Caspi et al. (2002, 2003) qui sont fondées sur l'hypothèse que ce ne sont pas tous les enfants maltraités qui deviennent dépressifs ou qui développent un comportement antisocial. Leurs résultats ont fait ressortir que les sujets dont le génotype comportait des taux élevés de monoamine oxidase A étaient moins susceptibles de développer des traits antisociaux, alors que ceux qui avaient des longues séries du gène promoteur 5-HTT risquaient moins de souffrir de dépression que les adolescents porteurs d'allèles différents. En d'autres mots, ces études ont montré comment les facteurs environnementaux et génétiques interagissaient entre eux. À ce jour cependant, la plupart des données proviennent d'études de jumeaux monozygotes élevés dans des foyers différents, et la validité des conclusions, en particulier en regard de la schizophrénie, a été contestée (Joseph, 2000).

Une étude épidémiologique qui tiendrait compte à la fois des facteurs sociaux et des variables biologiques, en particulier chez des

---

1 La *diathèse* fait référence à une susceptibilité pré-existante chez un individu donné, alors que la composante *stress* renvoie aux facteurs déclenchant plus directement la pathologie.

sujets mineurs, serait beaucoup plus difficile à réaliser que les recherches menées jusqu'à ce jour. Même si certaines données biologiques peuvent être recueillies au moyen de prélèvements buccaux, d'autres requièrent des prises de sang plus invasives, qui peuvent entraîner une foule de problèmes – dont l'obligation d'avoir recours à des infirmières plutôt qu'à du personnel non médical pour diriger ou tout au moins assister à l'entrevue, la nécessité de refrigérer les échantillons, de prévoir les coûts associés à ces tests, en plus des problèmes éthiques et légaux qui peuvent surgir si jamais les résultats faisaient l'objet de poursuites devant les tribunaux.

Par ailleurs, les taux de non-participation peuvent être considérablement plus élevés pour diverses raisons. Tout d'abord, certains parents peuvent être réticents à autoriser de tels tests pour leurs enfants, et ce même avec l'assurance de confidentialité ou même d'anonymat. Ils peuvent encore ne pas voir la nécessité de ces injections ou prélèvements, s'il n'y a pas de raison thérapeutique. Enfin, les enfants eux-mêmes peuvent être réticents à subir ces prises de sang. Un défi supplémentaire, qui peut être encore plus insurmontable lorsque des variables biologiques sont en cause mais qui concerne toutes les dimensions de l'épidémiologie infantile, est celui d'avoir accès aux populations les plus vulnérables et de gagner la confiance de ces sujets – tels que les enfants placés en foyer ou en centre d'accueil, les jeunes autochtones, les enfants de la rue et ainsi de suite. En dépit de ces problèmes, les travaux de Caspi et al. (2002, 2003) ont ouvert la voie et font entrevoir la possibilité de remplacer le modèle psychopathologique basé sur un seul paradigme, qu'il soit psychosocial ou génétique, par des modèles plus complexes impliquant des variables de différents domaines.

Mais au-delà des facteurs qui ont été traditionnellement étudiés, une autre question se pose, à savoir «*qui*» devrait faire de la recherche en épidémiologie psychiatrique? L'expression met d'emblée en évidence le problème, à savoir que l'épidémiologie psychiatrique s'étend au-delà de la psychiatrie, ou même de l'étude des troubles «psychiatriques». En fait, depuis les débuts de la recherche dans ce domaine, nombre d'épidémiologistes ont été des sociologues, des travailleurs sociaux et des psychologues. Ajoutons qu'à mesure que l'on s'attaquera à des questions plus complexes, les types d'expertises nécessaires à ces études devront s'élargir et inclure la collaboration avec des généticiens, des neurophysiologues, des chercheurs des systèmes de santé, des économistes de la santé, des psychologues développementalistes, et divers autres spécialistes. Ces professionnels devront être capables de travailler ensemble dans des équipes multidisciplinaires, dont le leadership devrait être assumé par le chercheur qui possède les habiletés et l'expertise les mieux assorties aux exigences posées par la recherche en cause, plutôt que de tenir au fait d'initiales apposées après son nom.

Des changements seront aussi nécessaires dans la manière de former ces professionnels. Même si l'augmentation des connaissances dans tous les domaines a eu pour conséquence d'allonger le temps de scolarité – comme en témoigne le nombre accru d'étudiants inscrits dans des études post-doctorales – et de favoriser une plus grande spécialisation, nous devons aussi nous assurer que les étudiants ont une bonne formation générale et qu'ils sont exposés à des domaines tels que la santé publique, les méthodes en épidémiologie, etc.. Inutile de dire que ces exigences nouvelles pourront rendre le recrutement des chercheurs encore plus difficile qu'il ne l'est actuellement.

Finalement, il pourrait s'avérer nécessaire de rebaptiser ce champ, dans la mesure où le terme «*psychiatrique*» peut être perçu comme une barrière empêchant certains d'y participer. C'est l'une des raisons qui m'amènent à utiliser l'expression «*épidémiologie en santé mentale*» plutôt qu'«*épidémiologie psychiatrique*» dans le présent essai.

Le paradigme a changé également d'une autre façon. Pour plusieurs, le terme «*épidémiologie*» se limite aux méthodes permettant de conduire de grandes enquêtes pour déterminer la prévalence de divers troubles dans une communauté donnée. Pourtant, depuis le milieu des années '70, la discipline comprend aussi l'«*épidémiologie clinique*», qui se centre sur des essais randomisés contrôlés, lesquels sont destinés à évaluer l'efficacité et l'utilité effective des interventions thérapeutiques (Sackett, Haynes et Tugwell, 1985). Aujourd'hui, cet objectif s'est élargi, avec l'introduction du terme d'«*épidémiologie expérimentale*» qui consiste en des interventions préventives dans la communauté visant des troubles tels que les états de stress post-traumatique, le tabagisme chez les adolescents, et le harcèlement dans les classes et les écoles (voir Conduct Problems Prevention Research Group, 1999a, 1999b; Cunningham et al., 2000). C'est, je crois, un courant qui continuera de se développer, ce qui est grandement souhaitable. Toutefois, à mesure que nous nous déplaçons depuis des études purement descriptives vers des études d'intervention, nous devons être attentifs à maintenir un juste équilibre entre ce qui relève de la promotion des droits des populations et ce qui a trait à la crédibilité scientifique. On peut être parfois tenté d'accentuer l'importance du problème que l'on étudie afin d'attirer l'attention du public, mais il ne faudrait jamais sacrifier la crédibilité scientifique d'une recherche sur l'autel de la promotion de politiques ou d'enjeux sociaux.

De l'efficacité à l'utilité effective

Un principe désormais accepté en recherche pose que l'utilité d'une intervention thérapeutique ne peut être déclarée telle que sur la base d'essais randomisés contrôlés (ERC). En même temps qu'a progressé la méthodologie de l'ERC, les chercheurs sont devenus de plus en plus conscients des différents biais qui peuvent affecter les résultats de recherche (Sackett, 1979), et parallèlement de la nécessité de contrôler ces lacunes potentielles. C'est ainsi que les sections «*Méthodes*» des essais cliniques comportent maintenant de longues listes de critères d'inclusion et d'exclusion; on se fie davantage sur des traitements réalisés suivant un protocole ou un manuel de procédures (Luborsky et DeRubeis, 1984); on remarque aussi des tentatives élaborées de relance des patients, et l'inclusion de données sur des participants à l'étude qui peuvent n'avoir jamais reçu d'intervention (Gent et Sackett, 1979; Sackett et Gent, 1979).

Un effet de ces contrôles plus étroits a été d'accroître ce que Cook et Campbell (1979) ont appelé la «validité interne» de l'étude, c'est-à-dire la confiance que nous avons que les résultats sont dus à l'intervention et non à un biais ou à des méthodes inadéquates d'analyse du matériel, ou encore à des facteurs associés à la conceptualisation du protocole et à l'exécution de l'étude comme telle. Le problème, cependant, est que plus on renforce la «validité interne» d'une étude, plus on met en péril sa «validité externe», c'est-à-dire la capacité de généralisation des données à des patients du monde ordinaire (Streiner, 2002b). Les cliniciens n'ont pas le luxe d'écarter des patients ou de refuser des traitements à des patients qui présentent des comorbidités, ou à ceux qui répondent à certains mais pas à tous les critères définissant un trouble. Les praticiens ne disposent pas non plus de ressources pour rappeler sans cesse les patients qui ne se présentent pas à leur rendez-vous.

Les études qui contrôlent étroitement la sélection des participants et la manière dont l'intervention est réalisée sont habituellement considérées comme des essais d'«efficacité» (ou explicatifs). Elles sont conçues pour nous dire si l'intervention «*peut*» fonctionner dans les meilleures conditions. De leur côté, les essais qui sont plus proches de ce qui se fait dans la pratique courante sont appelées essais d'«utilité effective» (essais pragmatiques ou de prise en charge clinique) et visent à nous dire si l'intervention fonctionne «*effectivement*» suivant la façon dont elle est pratiquée auprès d'un groupe de patients plus «réels» (Streiner, 2002b).

La différence entre pratique idéale et pratique courante a été bien montrée par Donoghue et Hylan (2001). Leur recension a démontré que les antidépresseurs étaient prescrits à des doses beaucoup plus faibles dans des contextes de soins primaires et secondaires que celles reconnues comme effectivement utiles dans les essais cliniques. Cette différence entre études d'efficacité et études d'utilité effective a été étudiée dans une méta-analyse de Weisz et al. (1995). Dans les études bien contrôlées se situant sur le continuum du côté de l'«efficacité», les enfants de divers groupes expérimentaux avaient un score atteignant environ 3/4 de déviation standard au-dessus de la moyenne par rapport aux sujets de groupes contrôles, ce qui représente une grandeur de l'effet assez importante. Par contre, dans les études dont le protocole était plus proche de ce qui se fait dans la pratique courante (c'est-à-dire les essais d'« utilité effective »), la différence entre les conditions était pratiquement effacée.

C'est devant de semblables résultats que le NIMH, dans son avis «*Blueprint for Change*» (Hoagwood et Olin, 2002) a recommandé aux chercheurs de « passer de l'efficacité à l'effectivité » (p. 765). Ceci ne veut toutefois pas dire que les recherches axées sur l'efficacité devraient être abandonnées. Nous aurons toujours besoin d'essais cliniques pour démontrer que certains types d'interventions – et en particulier les traitements non pharmacologiques – peuvent fonctionner. Des études comme celles de Weisz et al. (1995) nous disent qu'il est important de déterminer les facteurs responsables de l'échec de traitements potentiellement efficaces afin que ceux-ci trouvent une utilité dans la pratique. Ces résultats soulignent également le fait qu'il n'est pas suffisant de démontrer l'efficacité des interventions mais que nous devons aller dans le «monde réel» et montrer que les traitements fonctionnent dans la pratique courante. Ceci nécessitera deux types de changements, à savoir comment nous *faisons* et comment nous *recensons* les recherches. Concernant le *faire*, il est toujours plus facile de travailler dans un cadre où l'on se sent confortable, où l'on connaît bien le système et où l'on échange des services entre collègues. Pour la plupart des chercheurs, ceci implique de travailler dans des services de soins tertiaires – des unités internes et des cliniques externes affiliées à des hôpitaux où l'on fait de l'enseignement. Mais les types de patients vus dans de tels cadres, la proportion du personnel qui possède une formation spécialisée et des diplômes d'études avancées, et la fréquence de la supervision offerte, sont autant de conditions très différentes de celles existant dans la communauté. Si l'on veut faire en sorte de rendre les données généralisables à la pratique courante (ce qui veut dire d'en augmenter la validité externe), plus d'études doivent être menées en dehors des milieux d'enseignement.

D'un autre côté, en tant que revieweurs (et aussi comme chercheurs), nous devons être disposés à tolérer des études de qualité moindre que ce que l'on aurait pu souhaiter. Dans la pratique courante, les patients sont beaucoup plus hétérogènes que dans les échantillons d'études contrôlées : certains ne rencontrent pas tous les critères d'un diagnostic en particulier, alors que d'autres peuvent avoir un ou des troubles en comorbidité. De plus, les modalités de l'intervention peuvent varier d'un patient à l'autre : l'intervalle entre chaque rendez-vous peut devoir être plus flexible pour s'ajuster aux besoins du patient ; des interventions menées simultanément avec d'autres types d'approche ou de traitement peuvent aussi être nécessaires ; la médication peut devoir être dosée ou modifiée selon les réactions de chaque patient, et ainsi de suite. Nous devrions donc être plus ouverts aux recherches qui ne correspondent pas nécessairement à l'idéal, et tolérer aussi un plus haut degré d'imprécision dans les résultats obtenus.

Diagnostiquer les diagnostics

En passant de la seconde à la troisième génération de recherches épidémiologiques, un des plus importants progrès accomplis fut celui d'introduire des critères diagnostiques plus objectifs, fiables et, comme on l'espère, plus valides. En même temps que le DSM évoluait et franchissait ses différents stades d'élaboration, les critères d'abord fondés sur des mécanismes intra-psychiques supposés (Grob, 1991) furent rapportés à des comportements davantage observables, associés à des règles strictes déterminant si le patient répondait ou non aux critères du trouble en question.

Cette démarche représente très certainement un progrès sous certains aspects du diagnostic. Par exemple, à l'époque du DSM-I et du DSM-II, l'atteinte de la fiabilité était considérée comme «une entreprise impossible» (Grove et al., 1981, p. 408). Dans ses versions plus récentes, en particulier lorsque le Manuel est utilisé dans le cadre d'entrevues structurées, sa fiabilité est largement meilleure, avec des valeurs kappa de Cohen variant de 0.60 à 0.90 (voir Mannuzza, 1989).

Il reste que tout n'est pas parfait en ce qui a trait au système diagnostique actuel. Alors que le DSM-III était en cours d'élaboration, une décision fut prise à l'effet de définir une hiérarchie des troubles, de sorte qu'un diagnostic de Trouble d'anxiété de séparation ne peut être posé, par exemple, si l'adolescent a déjà un diagnostic de Trouble envahissant du développement ou de Schizophrénie. Cette idée a été critiquée par plusieurs (voir Boyd et al., 1984; Kendler, 1988) parce qu'elle ne tient pas compte de la co-occurrence possible de troubles. Selon Boyd et al. (1984), la présence d'un trouble dans un échantillon de plus de 11 000 individus d'une communauté donnée augmente les risques d'avoir pratiquement n'importe quel autre trouble, à la fois ceux reliés au trouble principal selon les critères du DSM, aussi bien que d'autres non reliés. Ce principe de hiérarchisation a pour effet, selon Kendler, de sous-estimer la prévalence réelle des troubles exclus.

La question de savoir si les diagnostics devraient ou non être considérés de façon hiérarchique est liée à un second problème, qui concerne la *nature catégorielle* des diagnostics eux-mêmes. Si un patient répond à tous les critères, on considère qu'il souffre du trouble en question; s'il répond à un nombre insuffisant de critères, le trouble est considéré comme absent. Ceci sous-entend qu'il y aurait une différence qualitative entre une personne qui ne répond qu'à quatre des neuf symptômes nécessaires à un trouble de dépression majeure, et une autre qui répond aux cinq symptômes requis (assumant que tous les autres critères sont présents), alors que d'un autre côté, aucune distinction n'est faite entre un individu qui a cinq symptômes et un autre chez qui les neuf critères sont présents.

Ce problème est rapprochable de celui du fractionnement d'une variable continue (Streiner, 2002a), alors que bien des données empiriques suggèrent que la plupart des troubles s'expriment à l'intérieur d'un continuum (voir Goisman et al., 1995; Goldberg, 1996; Gotlib, Lewinsohn et Seeley, 1995). En d'autres termes, on assiste à une augmentation graduelle de la sévérité du trouble à mesure que s'ajoutent des critères additionnels, plutôt qu'à un saut brusque du statut de non patient à celui de patient. De plus, en dépit de l'affirmation selon laquelle les critères diagnostiques du DSM-IV sont basés sur des données de recherche, il n'existe presque aucune donnée probante qui soutienne ce choix du nombre de symptômes requis pour poser tel ou tel diagnostic (Finn, 1982). Ce nombre est souvent arbitraire, et pourtant un changement à cet égard pourrait affecter non seulement le statut d'un patient, mais aussi la préva-lence estimée du trouble dans la communauté (voir Boyle et al., 1996).

Dans le cas de la troisième difficulté, elle est en partie spécifique au diagnostic chez l'enfant. Sauf pour de rares exceptions, les diagnostics sont basés chez l'adulte sur des renseignements rapportés par le patient lui-même – s'il présente ou non des hallucinations ou des idées délirantes, s'il se sent désespéré ou suicidaire, s'il existe une histoire d'abus de substances ou de comportements antisociaux, et ainsi de suite. Les jeunes enfants sont quant à eux bien souvent de piètres «historiens», et les renseignements sur leurs émotions et leurs com-portements doivent venir d'autres sources, tels que les parents et les enseignants. Les difficultés sont par conséquent au moins de trois ordres. Tout d'abord, alors que les rapports des parents sont assez précis en ce qui a trait à la présence ou non de certains comportements chez leurs enfants, on a noté que leurs rapports concernant l'humeur de l'enfant étaient beaucoup moins fiables, dans la mesure où ils sous-estiment ou surestiment souvent le niveau de détresse émotionnelle chez leurs enfants (Ronen, Streiner et Rosenbaum, 2003). Un deuxième point est que l'humeur de la mère influence son évaluation de celle de l'enfant (Boyle et Pickles, 1997), et troisiè-mement, bon nombre de chercheurs ont noté des désaccords entre parents et enseignants, lesquels observent les enfants dans des situations différentes (voir Sanford et al., 1992; Szatmari et al., 1994). Pour rendre les choses encore plus difficiles, on ne peut dire qu'un observateur ait «raison» et l'autre «tort», mais plutôt que le comportement de l'enfant est déterminé dans une large mesure par la situation. J'indiquerai un peu plus loin une solution possible à ce problème.

Une quatrième difficulté concerne le fait que même si l'on dispose d'un meilleur système diagnostique, les formules mathématiques associant des données objectives sont plus précises que les cliniciens. Déjà en 1954, Meehl avait posé la supériorité de l'approche «actuariale», et un demi-siècle de recherches n'a fait que renforcer son argument (voir Grove, 2000; Grove et Meehl, 1996; Dawes, Faust et Meehl, 1989).

Considérant la recherche épidémiologique, son application est à double tranchant et aussi avantageuse qu'elle soit, elle n'est pas dépourvue d'ambiguïté : vue sous l'angle négatif, elle met en évidence les limites du système diagnostique actuel, dont les problèmes déjà cités – hiérarchisation des diagnostics, nature catégorielle plutôt que dimensionnelle, points de coupure arbitraires – et divers autres, alors que d'un point de vue positif, elle peut être porteuse d'orientation ou de directions pour l'avenir. À l'heure actuelle, les entrevues structurées qui sont utilisées en recherche épidémiologique saisissent les données brutes – présence des symptômes, début de leur apparition, éléments de l'histoire familiale, etc. – qui sont les ingrédients nécessaires pour établir un diagnostic. Le problème qui se pose, c'est que les algorithmes qui dictent la manière dont ces éléments devraient être associés sont basés sur le système diagnostique actuel. Ces données pourraient éventuellement être traitées de façon plus profitable, tel que l'a proposé Meehl (1954), en utilisant des calculs statistiques voisins de la régression pour déterminer le diagnostic le plus probable chez chaque patient.

Les avantages de l'approche actuariale vont bien au-delà de sa supériorité prouvée en termes de précision. Elle peut aussi accommoder facilement des variables qui n'ont actuellement aucun rôle dans les règles diagnostiques, dont le type de mesures génétiques mentionné plus haut, et les rapports des différents observateurs. De plus, à mesure que s'accumuleront les données de recherches futures sur les corrélations entre différents troubles, nous n'aurons plus à attendre dix ou quinze ans pour voir paraître une nouvelle édition du DSM ou de l'ICD et que ces résultats y soient intégrés et nous aident à diagnostiquer nos patients. Dans un tel contexte, les équations pourront être revalidées beaucoup plus rapidement.

Finalement, différentes équations peuvent être obtenues selon le type et la quantité d'information dont dispose le chercheur ou le clinicien : soit une équation si des données génétiques sont présentes, une autre si elles ne sont pas disponibles, une troisième équation s'il existe des rapports des enseignants, et ainsi de suite. Je peux imaginer qu'une telle approche rencontre de fortes résistances de la part des cliniciens encore plus que des chercheurs. Les premiers pourront y voir une forme de dénigrement de leurs habiletés et de leur expertise, les réduisant à un rôle de «collecteurs» de données et les obligeant à ignorer les différences apparentes entre les patients. Cependant, tel que Meehl (1954) l'a amplement démontré, l'attention portée à ces «différences individuelles» est l'un des facteurs responsables de la plus faible performance du jugement clinique comparée à la prévision actuariale. Souvent les cliniciens se centrent sur des traits qui ne différencient pas de façon valide les cas des non-cas, ignorant que plusieurs signes et symptômes sont fortement corrélés et que de ce fait, ils ajoutent peu à la discrimination diagnostique.

Les méthodes algorithmiques (ou d'« arbres décisionnels ») de diagnostic et de traitement sont maintenant largement répandues dans des domaines tels que la radiologie diagnostique (Stiell, 1996), la cardiologie (Nichol et al., 1997) et même la psychiatrie (Oquendo et al., 2003). Elles sont désormais acceptées par les médecins (Pearson et al., 1994), en dépit du fait que de semblables objections furent formulées au moment de leur introduction dans la pratique. Au cours des années, on s'est opposé à bon nombre d'innovations dont on craignait qu'elles réduisent l'autonomie du clinicien et s'interposent entre le médecin et son patient. Parmi ces changements, on rappellera non seulement la pratique fondée sur des données probantes, mais aussi l'utilisation du stéthoscope. Tout comme ces craintes remontant au passé se sont avérées non fondées, je crois qu'on reconnaîtra aussi comme sans fondement celles suscitées par les méthodes diagnostiques de type actuarial appliquées à la pratique.

Traduit par *Denise Marchand*

Remerciements

Je voudrais témoigner ma très vive appréciation aux docteurs Michael Boyle, Harriet MacMillan et Peter Szatmari pour leurs commentaires qui m'ont été extrêmement utiles dans la rédaction de ce texte. Je remercie également les docteurs John Cairney, Paula

Goering, Elizabeth Lin et Michael Sawyer qui m' ont apporté des commentaires éclairants à la lecture d' une version précédente de cet essai.

ABSTRACT

In his discussion of a few areas where child and adolescent mental health research will (or should) change over the next decade, the author first recalls the five major generations of psychiatric epidemiology over the last century and their specificity in terms of advances in methodology and tools developed over time in that field. He then highlights some methodological issues to be addressed, more specifically the task of accounting for both biological and social/psychological variables in the same study, and the need for multidisciplinary teams via the participation of experts from various fields so as to extend the paradigm of psychiatric research to the one of mental health epidemiology. He stresses the necessity to move from efficacy or explanatory studies to effectiveness trials in order to determine factors responsible for failure of treatments in real life practice and also to generalize findings to the larger world. He finally reviews diagnostic schemas and the difficulties raised by the actual DSM framework and criteria, concluding on the many advantages of the actuarial approach and algorithmic methods in terms of accuracy and validation of diagnostic and research results.

Références

Anonymous. Report card on the National Plan for Research on Child and Adolescent Mental Disorders: The midway point. *Arch Gen Psychiat* 1995; 52 : 715-723.

Beland Y. Canadian Community Health Survey: Methodological overview. *Health Reports* 2002; 13(3) : 9-14.

Boyd JH, Burke JD Jr, Gruenberg EM, Holzer CE III, Rae DS, George LK, et al. Exclusion criteria of DSM-III: A study of co-occurrence of hierarchy-free syndromes. *Arch Gen Psychiat* 1984; 41 : 983-989.

Boyle MH, Offord DR, Hofmann HG, Catlin GP, Byles JA, Cadman DT, et al. Ontario Child Health Study. I. Methodology. *Arch Gen Psychiat* 1987; 44 : 826-831.

Boyle MH, Offord DR, Racine Y, Szatmari P, Fleming JE, Sanford M. Identifying thresholds for classifying childhood psychiatric disorder: Issues and prospects. *J Am Acad Ch & Adol Psychiat* 1996; 35 : 1440-1448.

Boyle MH, Pickle, A. Maternal depressive symptoms and ratings of emotional disorder symptoms in children and adolescents. *J Ch Psychol & Psychiat & Allied Disciplines* 1997; 38 : 981-992.

Breton JJ, Bergeron L, Valla JP, Berthiaume C, Gaudet N, Lambert J, et al. Quebec child mental health survey : Prevalence of DSM-IIIR mental health disorders. *J Ch Psychol & Psychiat & Allied Disciplines* 1999; 40 : 375-384.

Caspi A, McClay J, Moffitt TE, Mill J, Martin J, Craig

IW, et al. Role of genotype in the cycle of violence in maltreated children. *Science* 2002; 297 : 851-854.

Caspi A, Sugden K, Moffitt TE, Taylor A, Craig IW, Harrington H, et al. Influence of life stress on depression: Moderation by a polymorphism in the 5-HTT gene. *Science* 2003; 301 : 386-389.

Cook TD, Campbell DT. *Quasi-experimentation: Design and analysis issues for field settings.* Boston : Houghton Mifflin, 1979.

Conduct Problems Prevention Research Group. Initial impact of the Fast Track Prevention Trial for Conduct Problems: I. The high-risk sample. *J Cons & Clin Psychol* 1999a, 67 : 631-647.

Conduct Problems Prevention Research Group. Initial impact of the Fast Track Prevention Trial for Conduct Problems: II. Classroom effects. *J Cons & Clin Psychol* 1999b; 67 : 648-657.

Cunningham CE, Boyle M, Offord D, Racine Y, Hundert J, Secord M, McDonald J. Tri-ministry study: Correlates of school-based parenting course utilization. *J Cons & Clin Psychol* 2000; 68 : 928-933.

Dawes RM, Faust D, Meehl PE. Clinical versus Actuarial judgment. *Science* 1989; 243 : 1668-1674.

Donoghue J, Hylan TR. Antidepressant use in clinical practice: Efficacy v. effectiveness. *British J Psychiat* 2001; 179 (Suppl. 42) : S9-S17.

Eaton WW, Anthony JC, Gallo J, Cai G, Tien A, Romanoski A, et al. Natural history of Diagnostic Interview Schedule/DSM-IV major depression: The Baltimore Epidemiologic Catchment Area follow-up. *Arch Gen Psychiat* 1997; 54 : 993-999.

Endicott J, Spitzer RL. A diagnostic interview: The Schedule for Affective Disorders and Schizophrenia. *Arch Gen Psychiat* 1978; 35 : 837-844.

Faris REL, Dunham HW. *Mental disorders in urban areas: An ecological study of schizophrenia and other psychoses.* Chicago : Chicago University Press, 1939.

Finn SE. Base rates, utilities, and DSM-III: Shortcomings of fixed-rule systems of psychodiagnosis. *J Abn Psychol* 1982; 91 : 294-302.

Floderus-Myrhed B, Pedersen N, Rasmuson I. Assessment of heritability for personality, based on a short-form of the Eysenck Personality Inventory: A study of 12 898 twin pairs. *Behavior Genetic* 1980; 10 : 153-162.

Gent M, Sackett DL. The qualification and disqualification of patients and events in long-term cardiovascular clinical trials. *Thrombosis and Haemostasis* 1979; 41 : 123-134.

Goisman RM, Warshaw MG, Steketee GS, Fierman EJ, Rogers MP, Goldenberg I, et al. DSM-IV and the disappearance of agoraphobia without a history of panic disorder: New data on a controversial diagnosis. *Am J Psychiat* 1995; 152 : 1438-1443.

Goldberg D. A dimensional model for common mental disorders. *Br J Psychiat* 1996; 168 : 44-49.

Gotlib IH, Lewinsohn PM, Seeley JR. Symptoms versus a diagnosis of depression: Differences in psychosocial functioning. *J Cons & Clin Psychol* 1995; 63 : 90-100.

Grob GN. Origins of DSM-I: A study in appearance and reality. *Am J Psychiat* 1991; 148 : 421-431.

Grove WM, Andreasen NC, McDonald-Scott P, Keller MB, Shapiro RW. Reliability studies of psychiatric diagnosis: Theory and practice. *Arch Gen Psychiat* 1981; 38 : 408-413.

Grove WM, Meehl PE. Comparative efficiency of informal (subjective, impressionistic) and formal (mechanical, algorithmic) prediction procedures: The clinical-statistical controversy. *Psychology, Public Policy and Law* 1996; 2 : 293-323.

Grove WM, Zald DH, Lebow BS, Snitz BE, Nelson C. Clinical versus mechanical prediction: A meta-analysis. *Psychological Assessment* 2000; 12 : 19-30.

Gurin GJ, Verooff J, Feld S. *Americans view their mental health : A nation wide interview study.* New York : Basic Books, 1960.

Heston LL. The genetics of schizophrenic and schizoid disease. *Science* 1970; 167 : 249-256.

Hettema JM, Neale MC, Kendler KS. A review and meta-analysis of the genetic epidemiology of anxiety disorders. *Am J Psychiat* 2001; 158 : 1568-1578.

Hoagwood K, Olin SS. The NIMH Blueprint for Change report: Research priorities in child and adolescent mental health. *J Am Acad Ch & Adol Psychiat* 2002; 41 : 760-767.

Hollingshead A, Redlich F. *Social class and mental illness.* New York: Wiley, 1958.

Jarvis E. *Insanity and idiocy in Massachusetts : Report of the Commission on Lunacy.* Cambridge, MA : Harvard University Press, 1971.

Joseph J. Inaccuracy and bias in textbooks reporting psychiatric research: The case of schizophrenia adoption studies. *Politics and the Life Sciences* 2000; 19 : 89-99.

Kallmann FJ. The genetics of mental illness. In : Arieti S. (ed) *American Handbook of psychiatry.* Vol. 1, New York : Basic Books, 1959 : 175-196.

Kendler KS. The impact of diagnostic hierarchies on prevalence estimates for psychiatric disorders. *Comprehensive Psychiatry* 1988; 3 : 218-227.

Kendler KS, Eaves LJ, Walters EE, Neale MC, Heath AC, Kessler RC. The identification and validation of distinct depressive syndromes in a population-based sample of female twins. *Arch Gen Psychiat* 1996; 53 : 391-399.

Kessler RC, Magee WJ. Childhood adversities and adult depression: Basic patterns of association in a US national survey. *Psychol Med* 1993; 23 : 679-690.

Kessler RC, McGonagle KA, Swartz M, Blazer DG, Nelson CB. Sex and depression in the National Comorbidity Survey: I. Lifetime prevalence, chronicity and recurrence. *J Affect Dis* 1993; 29 : 85-96.

Kessler RC, Davis CG, Kendler KS. Childhood adversity and adult psychiatric disorder in the US National Comorbidity Survey. *Psychol Med* 1997; 27 : 1101-1119.

Klerman GL. Paradigm shifts in USA psychiatric epidemiology since World War II. *Social Psychiatry and Psychiatric Epidemiology* 1990; 25 : 27-32.

Leighton DC, Harding JS, Macklin DB, Hughes CC, Leighton AH. Psychiatric findings of the Stirling County study. *Am J Psychiat* 1963; 119 : 1021-1026.

Luborsky L, DeRubeis RJ. The use of psychotherapy treatment manuals: A small revolution in psychotherapy research. *Clin Psychol Rev* 1984; 4 : 5-14.

Mannuzza S, Fyer AJ, Martin LY, Gallops MS, Endicott J, Gorman J, et al. Reliability of anxiety assessment: I. Diagnostic agreement. *Arch Gen Psychiat* 1989; 46 : 1093-1101.

Meehl PE. *Clinical versus statistical prediction: A theoretical analysis and a review of the evidence.* Minneapolis : University of Minnesota Press, 1954.

Nichol G, Walls R, Goldman L, Pearson S, Hartley LH, Antman E, et al. A critical pathway for management of patients with acute chest pain who are at low risk for myocardial ischemia: Recommendations and potential impact. *Ann Int Med* 1997; 127 : 996-1005.

Oquendo MA, Baca-Garcia E, Kartachov A, Khait V, Campbell CE, Richards M, et al. A computer algorithm for calculating the adequacy of antidepressant treatment in unipolar and bipolar depression. *J Clin Psychiat* 2003; 64 : 825-833.

Pearson SD, Goldman L, Garcia TB, Cook EF, Lee TH. Physician response to a prediction rule for the triage of emergency department patients with chest pain. *J Gen Int Med* 1994; 9 : 241-247.

Petrill SA. The development of intelligence: Behavioral genetic approaches. In : **Sternberg RJ, Lautrey J, Lubart TI.** (eds) *Models of intelligence: International perspectives.* Washington, DC : Amer Psychol Ass., 2003 : 81-89.

Regier DA, Myers JK, Kramer M, Robins LN, Blazer DG, Hough RL, et al. The NIMH Epidemiologic Catchment Area Program: Historical context, major objectives, and study population characteristics. *Arch Gen Psychiat* 1984; 41: 934-941.

Robins LN, Helzer JE, Croughan R, Ratcliff KS. National Institute of Mental Health Diagnostic Interview Schedule : Its history, characteristics, and validity. *Arch Gen Psychiat* 1981; 38 : 381-389.

Robins LN, Wing J, Wittchen HU, Helzer JE, Babor TF, Burke J, et al. The Composite International Diagnostic Interview. *Arch Gen Psychiat* 1988; 45 : 1069-1077.

Ronen GM, Streiner DL, Rosenbaum P, Canadian Pediatric Epilepsy Network. Health-related quality of life in childhood epilepsy: The development of self-report and proxy-response measures. *Epilepsia* 2003; 44 : 598-612.

Sackett DL. Bias in analytic research. *Journal of Chronic Disease* 1979; 32 : 51-63.

Sackett DL, Gent M. Controversy in counting and attributing events in clinical trials. *New England J Med* 1979; 301 : 1410-1412.

Sackett DL, Haynes RB, Tugwell P. *Clinical epidemiology: A basic science for clinical medicine.* Boston : Little, Brown, 1985.

Sanford MN, Offord DR, Boyle MH, Peace A, Racine YA. Ontario Child Health Study : Social and school impairments in children aged 6 to 16 years. *J Am Acad Ch & Adol Psychiat* 1992; 31 : 60-67.

Spitzer RL, Endicott J, Fleiss JL, Cohen J. The Psychiatric Status Schedule: A technique for evaluating psychopathology and impairment in role functioning. *Arch Gen Psychiat* 1970; 23 : 41-55.

Spitzer RL, Endicott J, Robins E.. Research diagnostic criteria: Rationale and reliability. *Arch Gen Psychiat* 1978; 35 : 773-782.

Srole L, Langner TS, Michael ST, Opler MK, Rennie TAC. *Mental health in the community.* New York : McGraw-Hill, 1962.

Stiell I. Ottawa ankle rules. *Canadian Family Physician* 1996; 42 : 478-480.

Streiner DL. Breaking up is hard to do: The heartbreak of dichotomizing continuous data. *Can J Psychiat* 2002a; 47 : 262-266.

Streiner DL. The two "Es" of research: Efficacy and effectiveness trials. *Can J Psychiat* 2002b; 47 : 347-351.

Szatmari P, Archer L, Fisman S, Streiner DL. Parent and teacher agreement in the assessment of pervasive developmental disorders. *J Autism and Dev Dis* 1994; 24 : 703-717.

Waddell C, Offord DR, Shepherd CA, Hua JM, McEwan K. Child psychiatric epidemiology and Canadian public policy-making: The state of the science and the art of the possible. *Can J Psychiat* 2002; 47 : 825-832.

Weissman MM. The epidemiology of psychiatric disorders: Past, present, and future generations. *Intl J Methods in Psychiatric Research* 1995; 5 : 69-78.

Weissman MM, Warner V, Wickramaratne PJ, Moreau D, Olfson M. Offspring of depressed parents: 10 years later. *Arch Gen Psychiat* 1997; 54 : 932-940.

Weisz JR, Donenberg GR, Han SS, Weiss B. Bridging the gap between laboratory and clinic in child and adolescent psychotherapy. *J Cons & Clin Psychol* 1995; 63 : 688-701.

Wing JK, Cooper JE, Sartorious N. *The measurement and classification of psychiatric symptoms.* London : Cambridge, 1974.

prisme
prisme
PRISME
prisme
prisme
PRISME
n° 42

Analyse économique et services de santé mentale

Éric Latimer

L'auteur est chercheur et directeur de l'axe de recherche sur les services, les politiques et la santé des populations au Centre de recherche de l'Hôpital Douglas et professeur adjoint ainsi que membre associé aux départements de psychiatrie et d'économie de l'Université McGill. Il est également membre associé au Département d'administration de la santé de l'Université de Montréal.

Adresse : 6875, Bd LaSalle Verdun (Québec) H4H 1R3

Courriel :
eric.latimer@douglas.mcgill.ca

On a, dans les milieux cliniques, de plus en plus conscience de l'importance de l'analyse économique. Les ressources disponibles sont toujours moindres que ce dont on a besoin, et on voudrait pouvoir les utiliser à bon escient. En d'autres mots, on voudrait tirer le maximum de bénéfices des ressources disponibles.

Un peu de réflexion révèle cependant que derrière cette intuition toute simple se cachent bien des questions complexes. De quels bénéfices s'agit-il? Comment comparer les bénéfices d'un traitement intensif accordé à un enfant autiste aux bienfaits d'une chirurgie orthopédique? Comment comparer les bénéfices d'une psychothérapie accordée à une personne plus jeune ou à une personne âgée? Comment évaluer les bénéfices d'un programme préventif qui requiert un investissement immédiat mais dont les effets ne se manifesteront que progressivement au cours des années ou même des décennies à venir? Et si la mesure des coûts peut sembler simple en comparaison, dans les faits, elle présente aussi son lot de difficultés.

La grande majorité des cliniciens n'a guère le temps de s'attarder à de telles questions, et préférera laisser les spécialistes leur donner les résultats de leurs analyses. Mais certains pourraient vouloir y comprendre un peu plus, et c'est à de tels cliniciens, qui ont peut-être aussi des responsabilités administratives, que le présent article s'adresse. Il s'agira non seulement de discuter certains éléments des méthodes que les économistes de la santé ont développées pour analyser de telles questions, mais aussi de faire ressortir les limites de l'analyse économique dans le processus d'allocation des ressources, qui doit aussi être informé par d'autres valeurs. Finalement, quatre pistes, fondées sur des principes économiques plus généraux, seront proposées dans le but d'augmenter l'efficience des interventions en milieu clinique.

(34)

RÉSUMÉ

Qu'est-ce que l'efficience, et comment évaluer l'efficience relative de deux interventions cliniques? Ayant présenté les grandes lignes de l'analyse coût-efficacité, approche la plus utilisée dans l'évaluation économique des programmes de santé, l'auteur discute des difficultés associées à ces mesures, en particulier celle concernant les comparaisons interpersonnelles qui impliquent des jugements de valeur. L'auteur note l'existence de conflits potentiels entre la poursuite de l'efficience et la poursuite d'autres valeurs, telles que l'équité. Il propose par la suite quelques pistes susceptibles d'accroître l'efficience des programmes dispensés par les établissements, dont l'application du principe de l'avantage comparatif à la répartition des tâches entre professionnels et unités cliniques, et le recours à des interventions qui permettent un ajustement plus flexible des ressources en fonction des besoins de chaque client.

Qu'est-ce que l'efficience?

Nous entendons par *efficience* la capacité d'obtenir les résultats désirés avec un minimum de ressources. Cette définition suggère que l'efficience d'une intervention est une qualité intrinsèque, et qu'on peut l'évaluer au même titre que son efficacité clinique. En pratique toutefois, on ne peut guère savoir ce que serait le minimum de ressources nécessaire pour atteindre un objectif clinique. Ainsi la notion d'efficience est, en pratique, relative puisqu'on doit toujours comparer l'efficience de deux (ou plus) interventions ou programmes entre eux. Par exemple, quel gain additionnel obtient-on sur le plan clinique, et à quel prix, en ajoutant la thérapie cognitivo-comportementale aux antidépresseurs dans le traitement de la dépression?

Comment évaluer l'efficience relative de deux interventions cliniques?

Les difficultés que pose la comparaison de l'efficience relative de deux interventions cliniques peuvent être considérables, surtout si les interventions concernent des problèmes et des populations cliniques différents. Ces difficultés ne sont pas seulement d'ordre pratique, mais aussi d'ordre conceptuel. Il est impossible dans un court article tel que celui-ci de rendre compte de la complexité et de la subtilité des arguments qui sont invoqués, encore aujourd'hui, dans les débats théoriques qui occupent des dizaines d'économistes de la santé. Nous décrirons les grandes lignes de la méthode, en signalant au passage des questions importantes qui demeurent sans réponse, et qui sont pertinentes au reste de l'exposé.

Pour évaluer l'efficience (relative) d'une intervention, on mesure l'efficacité clinique et les coûts de l'intervention qui nous intéresse, et de la même façon l'efficacité clinique et les coûts d'une autre intervention avec laquelle on la comparera. En pratique, cela revient à obtenir des mesures d'efficacité clinique et d'utilisation des ressources pour des individus qui ont subi l'une ou l'autre des deux interventions.

Il se peut que l'on trouve que la nouvelle intervention (supposant qu'elle soit nouvelle) coûte moins cher et soit plus efficace que l'intervention traditionnelle. Dans ce cas, surtout si les différences sont statistiquement significatives, on peut conclure que la nouvelle intervention est plus efficace que l'autre. Dans le cas opposé, si la nouvelle intervention coûte plus cher et est moins efficace que l'intervention traditionnelle, on conclura que l'intervention traditionnelle est la plus efficiente.

De tels cas se produisent. Par exemple, dans presque toutes les études qui ont comporté une analyse économique détaillée, le suivi intensif en équipe dans la communauté (*Assertive Community Treatment*), une approche systématique au traitement, à la réadaptation et au soutien dans la communauté de personnes aux prises avec des troubles mentaux graves, s'est avérée donner de meilleurs résultats cliniques à un coût moyen moins élevé que les programmes alternatifs (Allness et Knoedler, 1998; Conseil d'Évaluation des Technologies de la Santé, 1999; Latimer, 1999).

Il est courant, toutefois, qu'une nouvelle intervention coûte plus cher, et donne de meilleurs résultats, que l'intervention traditionnelle. On calcule alors le ratio coût-efficacité marginal:

$$RCEM = \frac{\text{Moyenne } (C_{Ii}) - \text{Moyenne } (C_{Cj})}{\text{Moyenne } (R_{Ii}) - \text{Moyenne } (R_{Cj})}$$

où C_{Ii} désigne le coût mesuré pour l'individu i qui a subi l'intervention I, R_{Cj} le résultat clinique obtenu pour l'individu j qui a subi l'intervention de comparaison, et ainsi de suite.

Il faut alors évaluer si les résultats supérieurs que permet la nouvelle intervention justifient son coût plus élevé. L'objectif, en théorie, est de financer les interventions qui, ensemble, permettent d'obtenir les meilleurs résultats possibles sans dépasser une enveloppe budgétaire donnée.

Voilà en quelques lignes l'essentiel de l'approche la plus souvent utilisée en évaluation économique de programmes de santé, soit l'analyse coût-efficacité. Les difficultés principales associées à cette approche peuvent être réparties en trois groupes :

- la mesure de l'efficacité
- la mesure des coûts
- la comparaison des bénéfices retirés d'une intervention par des personnes différentes.

Mesure de l'efficacité

Lorsque les interventions en cause représentent deux façons différentes de traiter un même problème, on peut en évaluer l'efficacité respective au moyen de mesures cliniquement pertinentes. Par exemple, l'échelle Hamilton peut être employée pour comparer l'efficience de deux interventions contre la dépression chez les adultes. La situation se complique lorsqu'on veut comparer l'efficience d'interventions qui s'adressent à des problèmes différents : par exemple, l'efficience d'un traitement contre la dépression *versus* un traitement pour contrôler l'asthme. Il faut pouvoir faire des comparaisons de ce genre si l'on veut bien allouer les ressources entre différents types d'intervention.

Pour effectuer de telles comparaisons, les économistes de la santé ont inventé deux mesures en particulier, le QALY (*Quality-Adjusted Life Year*) (Drummond et al., 1997) et, plus récemment, le DALY (*Disability-Adjusted Life Year*) (Murray et Acharya, 1997). Nous ne discuterons que du QALY, qui demeure la mesure la plus utilisée, et dont les limites décrites ici sont comparables à celles du DALY. En bref, pour mesurer l'efficacité d'une intervention, il faut attribuer à un état de santé un indice de qualité de vie reliée à la santé, entre 0 (mort) et 1 (parfaite santé). Une intervention qui prolonge la vie d'une personne de 5 ans avec un indice de qualité de vie reliée à la santé de 0,6 génère ainsi 5 x 0,6 = 3 QALYs (Drummond et al., 1997)

Mesure des coûts

Pour mesurer les coûts, il faut tout d'abord choisir la perspective selon laquelle les coûts seront évalués. Au Canada, si on adopte la perspective d'un hôpital, on ne tiendra compte que des coûts assumés par celui-ci, excluant ainsi les facturations des médecins à la Régie d'Assurance-Maladie du Québec, ainsi que les coûts de médicaments autres que ceux provenant de la pharmacie de l'hôpital. La perspective du réseau de la santé et des services sociaux inclura en revanche toutes les facturations à la RAMQ de même que les coûts assumés par l'hôpital. Finalement, la perspective sociétale tiendra compte, en plus des coûts qui viennent d'être énumérés, des coûts assumés par le système judiciaire, par les patients et les membres de leur famille, y compris la valeur du temps passé à recevoir des traitements, la valeur du temps de travail perdu, et toutes dépenses assumées par les patients et leur entourage (e.g., coûts de médicaments en plus de ceux couverts par la RAMQ).

Une fois choisie la perspective de l'analyse, il faut d'une part, mesurer les quantités pertinentes de ressources utilisées (e.g., le nombre de visites d'un certain type à un omnipraticien) et d'autre part, multiplier les quantités par leur coût (coût unitaire). La difficulté conceptuelle principale associée à la mesure des coûts est celle de répartir les coûts généraux entre plusieurs biens et services produits. Par exemple, quelle proportion du coût de l'administration générale faut-il attribuer au département de cardiologie? Et de là, aux angiogrammes? Plusieurs méthodes ont été proposées et sont utilisées pour effectuer ce genre de répartition des coûts. Disons seulement ici qu'il n'existe pas de réponse simple à la question, que la méthode de répartition appropriée dépend de ce que l'on veut faire avec les coûts moyens calculés, et qu'en pratique il reste toujours une part d'arbitraire dans le choix de la méthode (Drummond et al., 1997)

Comparaisons interpersonnelles

C'est lorsque vient le temps de faire des comparaisons interpersonnelles que l'on peut se retrouver, encore plus qu'auparavant, devant des difficultés auxquelles aucune solution définitive n'a encore été apportée, le problème fondamental étant qu'un jugement de valeur peut devoir être posé. Ce problème survient en particulier lorsqu'on cherche à comparer entre elles des interventions de natures différentes.

Étant donné l'espérance de vie beaucoup plus grande des enfants, en se basant sur une analyse utilisant les QALYs, on privilégierait systématiquement les interventions qui augmentent la qualité de vie des enfants ou peuvent leur sauver la vie, au détriment de celles qui sont adressées à des personnes âgées qui peuvent être déjà très malades et n'avoir au mieux que quelques années en relativement mauvaise santé devant eux. On pourrait même en venir à limiter de façon importante les interventions accordées aux personnes les plus âgées. Cela, toutefois, irait contre le sens largement partagé dans notre société de l'importance intrinsèque de chaque être humain.

Il existe au moins une autre difficulté importante avec les QALYs: leur utilisation implique qu'une intervention qui, par exemple, améliore la qualité de vie de 100 personnes de 0,99 à 1,00, et qui génère donc 1 QALY par année, a exactement la même valeur qu'une intervention qui améliore la qualité de vie de 10 personnes de 0,1 à 0,2, et qu'une autre intervention qui sauve la vie d'une personne du même âge et en parfaite santé. En réalité, la plupart des gens considéreraient qu'il est plus important de sauver la vie d'une personne que d'améliorer sensiblement la qualité de vie de 10 personnes dont la qualité de vie est déjà très faible, et encore plus que d'améliorer de façon négligeable la qualité de vie de 100 personnes déjà très fortunées (Ubel et al., 2000). Il n'existe pas de façon véritablement objective de poser de tels jugements, étant donné la variabilité des valeurs entre les gens et les cultures, et leur variabilité dans le temps: le mieux qu'on puisse faire est de se baser sur les valeurs présentes de la société qui est confrontée à un choix d'allocation de ressources.

En conclusion, il faut surtout retenir que l'évaluation de l'efficience implique toujours la comparaison entre deux interventions, que cette comparaison pose des difficultés relativement faciles à surmonter lorsque les deux interventions visent le même problème et la même population, mais que des jugements de valeur doivent être invoqués lorsque les interventions poursuivent des finalités différentes.

L'efficience, mais à quel prix?

En soi, l'efficience est certainement une bonne chose: qui veut gaspiller des ressources, dans un contexte de pénurie chronique? En pratique toutefois, l'efficience peut entrer en conflit avec d'autres valeurs, et en tout premier lieu, celle de l'équité. Par exemple, les soins prodigués à une personne atteinte de troubles mentaux graves peuvent n'avoir aucun impact sur son état de santé, et ainsi ne générer aucun QALY. Devrait-on alors délaisser de telles personnes?

Daniel Callahan, directeur du Hastings Centre, propose avec ses collègues quatre objectifs pour la médecine:
1) La prévention de la maladie et des blessures et le maintien de la santé
2) Le soulagement de la douleur et de la souffrance occasionnées par la maladie
3) Les soins visant la guérison des malades et l'administration de soins à ceux qui ne peuvent être guéris

4) L'évitement d'une mort prématurée et la recherche d'une mort paisible.

Selon Callahan et ses collègues, aucun de ces objectifs n'a systématiquement la priorité sur les autres. Ainsi, chaque situation doit être évaluée individuellement (Callahan, 1999).

L'analyse coût-efficacité telle qu'elle existe aujourd'hui, ainsi que le court exposé ci-dessus a tenté de le démontrer, est trop mécanique pour pouvoir tenir compte de subtilités de cette nature. En considérant ses implications pour la distribution des ressources entre groupes de patients, il faut pouvoir faire des ajustements, peut-être radicaux, à partir d'un jugement de valeur externe au processus de l'analyse économique.

Il serait injuste toutefois de donner l'impression que les économistes sont insensibles à ces questions. Certains parmi les plus éminents y ont beaucoup réfléchi, notamment à la question de ce qui constitue l'équité en matière de santé, ce qu'on peut faire pour l'accroître, et comment cela entre en conflit avec les prescriptions issues d'une analyse basée simplement sur les QALYs (Sen, 2002; Williams, 1997; Culyer et Wagstaff, 1993). Mais si notre compréhension du problème s'en est trouvée enrichie, il n'existe pas encore d'accord quant à la meilleure façon d'intégrer les considérations d'efficience et d'équité.

Plusieurs autres valeurs peuvent aussi être invoquées : l'acceptabilité d'une intervention (par exemple, son caractère semble-t-il excessivement coercitif?), les conditions de travail plus ou moins humaines que l'intervention engendre pour les intervenants, l'accessibilité aux services (une intervention très efficiente mais qui ne peut être rendue disponible qu'à une minorité est de ce fait moins désirable), etc. Encore une fois, il n'existe pas de façon objective d'identifier toutes les valeurs pertinentes. La conclusion essentielle est que, si l'efficience est une valeur importante, elle n'est pas la seule, et qu'un choix éclairé des interventions à privilégier doit tenir compte d'autres facteurs qui sont également difficiles à évaluer.

Quelques pistes pour accroître l'efficience des interventions cliniques dispensées par un établissement ou un réseau d'établissements

L'analyse économique couvre, on s'en doute, un spectre beaucoup plus large que la comparaison de l'efficience d'interventions cliniques. Quatre exemples de raisonnement économique, qui peuvent être utilisés pour accroître l'efficience d'interventions cliniques, sont proposés ici.

➤ *Prévenir plutôt que guérir, lorsque c'est efficient (cela ne l'est pas nécessairement)*

La prévention peut être efficiente. Elle ne l'est, toutefois, pas nécessairement. Plusieurs analyses s'accordent à conclure, par exemple, que le dépistage du cancer du colon chez les personnes sans autre facteur de risque et qui ont moins de 40 ans n'est pas une mesure préventive efficiente : elle coûterait beaucoup sans permettre la réalisation de bénéfices cliniques suffisamment importants (Agence d'Évaluation des Technologies et Modes d'Intervention en Santé, 1999). L'argent pourrait être mieux dépensé dans d'autres programmes.

L'efficience de programmes préventifs est particulièrement difficile à évaluer. Elle exige que l'on fasse non seulement des comparaisons interpersonnelles (puisqu'il faut évaluer l'importance relative d'aider le groupe-cible de l'intervention plutôt qu'un autre) mais aussi des comparaisons intertemporelles (puisqu'il faut comparer des bénéfices futurs avec des coûts présents). Elle est néanmoins essentielle pour identifier les mesures préventives qui en valent le coût, sous réserve d'avoir à poser des jugements de valeur tel que décrit plus haut.

➤ *Tenir compte du principe de l'avantage comparatif*

L'économiste David Ricardo, vers le début du XIXe siècle, fit l'observation que, pour augmenter la prospérité économique des nations, il était utile que les pays produisent non pas nécessairement ce qu'ils pouvaient produire à moindre coût, mais ce que, en comparaison avec les autres pays producteurs, ils pouvaient produire à coût *relativement* moindre. Ainsi, si l'Angleterre peut produire du tissu à 20$ le m^2 et du porto à 5$ le litre, tandis que le Portugal peut produire du tissu à 10$ le m^2 et du porto à 2$ le litre, le Portugal devrait produire du porto et l'Angleterre des textiles, même si le Portugal peut produire du tissu à moindre coût que l'Angleterre (en supposant que toute la production puisse se vendre au prix coûtant). La raison est que le Portugal peut produire 5 (10/2) litres de porto pour chaque mètre carré de tissu, et l'Angleterre seulement 4 (20/5). Si chaque pays dispose de 10 000$, la répartition optimale de ces 10 000$ conduit à ce que l'Angleterre produise 500 m^2 de tissu et le Portugal 5 000 litres de porto. À l'autre extrême, l'Angleterre pourrait produire 2 000 litres de porto et le Portugal 1 000 m^2 de tissu. Cela impliquerait de perdre 3 000 litres de porto pour un gain de

500 m^2 de tissu, soit perdre 6 litres de porto pour chaque m^2 de tissu gagné; ce n'est clairement pas une solution optimale puisque même le Portugal n'a besoin de réduire sa production de porto que de 5 litres pour augmenter sa production de tissu de 1 m^2.

Ce principe s'applique à la répartition des tâches entre les effectifs d'un établissement. Il a déjà été documenté qu'un certain nombre de tâches moins complexes traditionnellement réservées à des médecins omnipraticiens peuvent être effectuées sans perte de qualité par des infirmières praticiennes bien formées (Scheffler, Waitzman et Hillman, 1996). Des psychologues pourraient se substituer à des psychiatres dans l'évaluation générale de patients psychiatriques, et ce, à moindre coût pour le réseau. De façon générale, et c'est une évidence, on aurait intérêt à substituer une ressource humaine moins coûteuse à une plus coûteuse pour effectuer le même travail avec le même niveau de qualité.

Le principe de l'avantage comparatif va cependant plus loin. Il implique que même si la substitution conduit à une faible perte de qualité, elle peut aussi être avantageuse, car le professionnel plus qualifié peut alors être affecté à des tâches que lui seul peut bien accomplir. La gestion de tout établissement, réseau ou système de santé implique une multitude d'arbitrages et de compromis : les ressources disponibles ne permettent pas d'assurer une qualité *nec plus ultra* dans toutes les situations et à tout moment. Nous connaissons tous le gestionnaire doué qui ne délègue pas assez. Certes il fait mieux toutes les tâches que les personnes sous lui; mais il serait meilleur gestionnaire s'il acceptait que des tâches moins importantes soient effectuées un peu moins bien, de façon à ce qu'il puisse consacrer plus de temps aux tâches les plus importantes et pour lesquelles il est le seul qui soit le moindrement qualifié. Il est probable que chaque professionnel qui a la possibilité de déléguer certaines tâches (de l'infirmière chef au médecin jusqu'au directeur général d'un établissement, en passant par le chercheur tel que l'auteur du présent article) aurait intérêt à examiner régulièrement si la répartition actuelle de ses tâches respecte le principe de l'avantage comparatif.

On conçoit que ce principe s'applique aussi à la répartition des tâches entre unités cliniques et établissements, dans la mesure où les substitutions sont possibles. Par exemple, les meilleures unités chirurgicales devraient, autant que possible, se limiter aux cas les plus complexes. L'application systématique de ce principe impliquerait un mécanisme de tri des patients entre unités chirurgicales, et des déplacements plus importants pour ceux-ci, mais augmenterait sans doute la qualité globale des interventions.

> *Remplacer les interventions rigides par des interventions ajustables*

Malgré ses ratés, le virage ambulatoire nous a donné l'occasion (hélas trop rarement saisie) de remplacer des soins hospitaliers définis de façon rigide par un soutien à domicile ajustable selon les besoins de chaque patient. Le suivi intensif en équipe dans la communauté, mentionné brièvement ci-haut, offre un bel exemple de ce principe. Ce mode d'organisation des soins implique la prestation intégrée de traitements psychiatriques, de services de réadaptation et de soutien par une équipe multidisciplinaire. Chaque équipe s'occupe d'un groupe d'adultes qui ont des troubles mentaux graves (principalement schizophrénie et troubles bipolaires) et qui répondent mal aux services traditionnels, se retrouvant souvent réhospitalisés. Le ratio intervenant : clients est de l'ordre de 1 : 8, de sorte que l'intervention de l'équipe est intensive, allant jusqu'à plusieurs visites chez le client par semaine.

Dans ce modèle, l'individualisation des interventions est poussée à l'extrême. Chaque client collabore avec l'équipe pour établir un plan d'intervention sur mesure; pour certains clients ce plan pourrait n'impliquer qu'un ou deux contacts par semaine, pour d'autres, beaucoup plus (Allness et Knoedler, 1998; Conseil d'Évaluation des Technologies de la Santé, 1999).

Dans une étude d'un programme de ce type à l'Hôpital Douglas, appelé équipe ACT, on a observé des temps de déplacement et contact moyens par mois, entre juillet 1999 et février 2000, allant de moins de 2 heures par mois pour certains clients à plus de 16 heures pour d'autres (près de 30 heures pour le client qui a obtenu l'intervention la plus intensive) (Latimer, Mercier et Crocker, 2001).

Outre ces variations entre clients dans le temps moyen passé avec eux par semaine, on observe aussi avec ce mode d'intervention une variabilité importante dans le nombre de contacts effectués avec chaque client d'une semaine à l'autre, ce nombre pouvant osciller, pour certains, entre 1 et 12 sur une période de plusieurs mois (Latimer, Mercier et Crocker, 2001). Cette variabilité reflète le mode de fonctionnement de ces équipes: elles se rencontrent chaque jour pour faire le point sur la situation actuelle de chaque client, et planifient les interventions de la journée en tenant compte à la fois des plans d'intervention pré-établis et des situations particulières (crises, etc.) qui auraient pu survenir. Elle reflète aussi la nature fluctuante de la maladie mentale.

De fait, ce mode de fonctionnement est conçu pour permettre un ajustement presque en temps réel des ressources en fonction des besoins de chaque client. Il est ainsi beaucoup plus efficient que l'approche traditionnelle qui implique un plus grand recours à l'hospitalisation, une intervention beaucoup plus rigide. La même équipe ACT de l'hôpital Douglas pour laquelle nous venons de citer certains résultats a vu le nombre de jours d'hospitalisation de ses 71 premiers clients chuter de plus de 75 %, tandis qu'augmentaient la satisfaction des clients à l'égard des services, leur niveau de fonctionnement, et leur qualité de vie. La réduction dans le nombre de jours d'hospitalisation est telle que le programme engendre une économie annuelle nette de l'ordre de 3 200$ par client du point de vue de l'hôpital, et 4 400$ du point de vue du réseau (Latimer, Mercier et Crocker, 2001). Certes, cette économie ne se traduit pas par une réduction des dépenses de l'hôpital: plutôt, en libérant des lits pour d'autres patients, elle réduit l'écart entre l'offre et la demande en regard des services de l'hôpital.

Cette façon de concevoir l'utilisation des ressources a des implications importantes sur la manière dont beaucoup de services sont dispensés. Chaque fois que l'on voit un programme qui dispense une intervention de façon relativement rigide, il faudrait se demander si on ne peut pas rendre l'intervention plus ajustable, ou même la remplacer par une intervention radicalement différente et conçue pour être beaucoup plus ajustable. L'hospitalisation de jour rend une intervention rigide plus ajustable (en offrant le choix entre deux intensités d'hospitalisation); le suivi intensif en équipe dans la communauté remplace l'hospitalisation par une intervention fondamentalement différente.

➤ *Instaurer des incitatifs économiques à des pratiques plus efficientes*

Les trois pistes vers une plus grande efficience qui viennent d'être décrites auront plus de chances d'être poursuivies dans un contexte organisationnel favorable. Il faut une ouverture au changement, un désir d'améliorer les services, facteurs qu'un bon leadership peut développer dans une organisation mais qui dépassent le cadre de l'analyse économique. De façon complémentaire, on devrait aussi penser à instaurer des incitatifs économiques et financiers. Quel bénéfice le personnel d'un établissement retire-t-il de l'atteinte d'une plus grande efficience dans la dispensation de ses services? Pour que des progrès de cette nature puissent être récompensés, il faut pouvoir comparer l'efficience de services d'une période à l'autre. À cette fin, il faut mesurer à la fois la quantité, la qualité et les coûts des services. En pratique, la mesure de la qualité peut poser des difficultés, mais avec un peu de ressources il est possible de développer des indicateurs de qualité pour différents types de services cliniques: cela fait partie de tout processus d'amélioration continue de la qualité.

On peut alors imaginer qu'à l'intérieur d'un établissement, la direction générale offre à des départements des incitatifs à l'atteinte d'une plus grande efficience. Par exemple, on pourrait offrir à un département une légère augmentation de budget (si cela est approprié, ou un autre type de bénéfice), conditionnelle à une augmentation de la qualité estimée selon des indicateurs pré-établis. Au niveau d'une autorité régionale, de façon similaire, des incitatifs pourraient être mis en place pour récompenser les établissements qui réalisent les plus grands *gains* en efficience. Dans la pratique, il faudrait que les différentes parties impliquées conviennent de mécanismes susceptibles de favoriser un accroissement de l'efficience.

Conclusion

L'évaluation économique présente des difficultés techniques considérables, et de par ce fait, et du nombre limité de spécialistes en mesure de l'effectuer, elle est souvent négligée. Elle demeure néanmoins un élément essentiel d'un processus d'allocation des ressources éclairé. L'analyse économique nous donne en outre certaines indications générales quant au type d'intervention susceptible d'utiliser les ressources de façon plus efficiente. Des incitatifs économiques appropriés pourraient être mis en place dans les établissements et les réseaux de santé qui encourageraient l'évolution de programmes et interventions vers une plus grande efficience.

ABSTRACT

What is efficiency, and how can the relative efficiency of different clinical interventions be evaluated? After providing an outline of cost-effectiveness analysis, the most commonly used method in the economic evaluation of health care programmes, the author discusses difficulties associated with these measures, in particular those that arise when making interpersonal comparisons that require value judgement. The author notes the existence of potential conflicts between the pursuit of efficiency and the pursuit of other values, such as equity. He then offers some suggestions for increasing the efficiency of health care programs, including the application of the principle of comparative advantage to the distribution of work among professionals and clinical units, and relying on interventions that allow more flexible adjustment of resources according to the needs of each client.

Références

Agence d'Évaluation des Technologies et Modes d'Intervention en Santé *Le dépistage du cancer colorectal.* Montréal; CETS, 1999: xx-146 p.

Allness D, Knoedler W. *The PACT Model of Community-Based Treatment for Persons with Severe and Persistent Mental Illnesses: A Manual for PACT Start-Up.* Arlington, VA : The National Alliance for the Mentally Ill, 1998 : 347.

Callahan D. Balancing efficiency and need in allocating resources to the care of persons with serious mental illness. *Psychiatric Services* 1999; 50(5): 664-666.

Conseil d'Évaluation des Technologies de la Santé *Le suivi intensif en équipe dans la communauté pour personnes atteintes de troubles mentaux graves.* Montréal, Qc: Ministère de la Santé et des Services sociaux, 1999.

Culyer AJ, Wagstaff A. Equity and equality in health and health care. *Journal of Health Economics* 1993; 12: 431-457.

Drummond MF, et al. *Methods for the Economic Evaluation of Health Care Programmes.* Toronto: Oxford University Press, 2nd ed., 1997.

Latimer E, Mercier C, Crocker AG. *Prestation de soins intégrés pour les personnes atteintes de troubles mentaux graves et persistants dans leur milieu de vie.* Montréal: Centre de recherche de l'Hôpital Douglas, 2001, 81 p.

Latimer E. Economics impacts of Assertive Community Treatment: A Review of the Literature. *Can J Psychiat* 1999; 44:443-454.

Murray C, Acharya A. Understanding DALYs (disability-adjusted life years). *Journal of Health Economics* 1997; 16(6): 703-730.

Scheffler R, Waitzman N, Hillman J. The productivity of physician assistants and nurse practitioners and health work force policy in the era of managed health care. *Journal of Allied Health* 1996; 25(3): 207-217.

Sen A. Why health equity? *Health Economics* 2002; 11: 659-666.

Ubel P, et al. Improving value measurement in cost-effectiveness analysis. *Medical Care* 2000; 38(9): 892-901.

Williams A. Intergenerational equity: An exploration of the fair innings argument. *Health Economics* 1997; 6: 117-132.

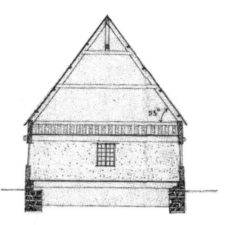

C

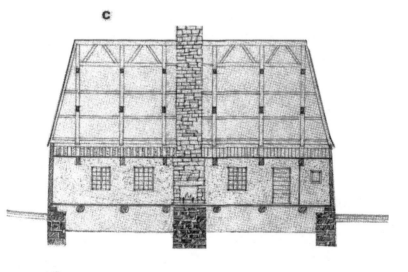

D   Gilles Vilandré 1971

Étude en géométral de la Maison Pichet en colombage pierroté (C. 1700).

A- Élévation principale : l'architecte Vilandré a préféré reconstituer cette façade sans
crépi ou sans lambris pour mieux identifier la structure des murs en colombage pierroté;
B– plan du rez-de-chaussée montrant foyer, salle commune et laiterie au coin N.E.;
C- Coupe transversale : charpente du toit (pente de 53) ; noter le fruit ou l'inclinaison
des murs; D– Coupe longitudinale. Remarquer la toiture en pavillon.

Encyclopédie de la maison québécoise. 3 siècles d' habitations. **Michel Le**ssard, Huguette Marquis
Avec la collaboration de Gilles Vilandré, architecte, et Pierre Pelletier, photographe. Les Éditions de l'Homme, 1972.

prisme

PRISME prisme

prisme PRISME prisme

PRISME

n° 42

Éthique de la recherche et pédopsychiatrie:
du général au particulier

Michelle Pimont
Hubert Doucet

Michelle Pimont est
médecin et détient une
maîtrise en médecine
préventive et sociale. Elle
est candidate au doctorat
en sciences biomédicales,
option bioéthique, à la
Faculté des Études
supérieures de l'Université
de Montréal.
Hubert Doucet est
professeur aux facultés de
médecine et de théologie
et directeur des
programmes de bioéthique
à l'Université de Montréal.

Adresse :

C.P. 6128 succ. Centre-ville
Montréal (Québec) H3C 3J7

courriel :

hubert.doucet@umontreal.ca

Depuis ces dernières années, l'éthique occupe une place grandissante parmi les exigences imposées aux chercheurs. En témoignent les nombreuses lignes directrices et textes régulateurs développés dans le cadre de l'expérimentation avec les êtres humains. Pourquoi imposer de telles procédures? S'agit-il d'entraver les progrès de la connaissance scientifique et de limiter les libertés intellectuelles? Si certains questionnent l'importance actuelle reconnue à l'éthique, il reste que l'ensemble de la communauté scientifique s'entend pour en reconnaître la pertinence. Assez souvent cependant, on s'inquiète de réquisits particuliers jugés inutiles et bureaucratiques.

Un retour dans l'histoire montre que la recherche, y compris sous le couvert des meilleures intentions, n'est pas exempte d'aléas. 'Moralement nécessaire, nécessairement immorale', l'expérimentation humaine représente ce paradoxe incontournable qui ne s'élude que dans la logique du moindre mal. Un moindre mal somme doute exigeant, derrière lequel se profilent la justification et la visée bioéthiques. À ce stade, plusieurs niveaux de compréhension sont posés. Au-delà des normes, l'éthique est aussi une affaire fondamentalement personnelle de nature introspective (Doucet, 2002, 31). Certes au service d'un idéal, l'éthique n'en doit pas moins s'inscrire dans un contexte concret, fait de forces et de faiblesses.

Dans un premier temps, la notion de vulnérabilité une fois introduite servira de prétexte pour retracer le cours historique de l'éthique de la recherche dans ses principales étapes. Dans un deuxième temps, nous nous attacherons au contexte actuel ainsi qu'aux normes en vigueur pour présenter l'éthique de la recherche dans ses grandes lignes. Pour l'essentiel, les références seront d'ordre canadien et québécois. Une troisième partie s'intéressera aux comités d'éthique de la recherche et aux principaux critères d'évaluation des protocoles. En quatrième et dernière partie, le propos se voudra plus spécialisé,

(48)

RÉSUMÉ

La protection des sujets de recherche parmi les plus vulnérables reste de première actualité. Les auteurs retracent à partir des textes directeurs les premières assises institutionnelles en matière d'éthique de la recherche, jusqu'à la création des comités d'éthique et la définition des critères d'évaluation des protocoles. Les questions du consentement volontaire et des méthodologies utilisées en recherche psychiatrique sont considérées en regard de l'enfant et d'autres patients inaptes et particulièrement vulnérables aux initiatives de recherche.

tourné vers la recherche en psychiatrie en général et vers les enfants en particulier[*].

1. Historique

1.1. Notion de vulnérabilité

Historiquement, être enfant ou malade mental a été fréquemment associé à de mauvais traitements dans le contexte de la recherche. Les affaires rapportées sont nombreuses (Capron, 1999; Doucet, 1996, 19-23; Gwen, 1996; Hirtz, 2002; Simonnot, 2000); certaines sont tristement célèbres (Glantz, 1996; Roberts et Roberts, 1999). Ainsi, entre les années 1950 et 1970, une équipe de recherche américaine inoculait délibérément le virus de l'hépatite à des enfants handicapés mentaux placés en institution (*The Willowbrook State School*). Sous le prétexte spécieux d'une contamination inévitable de tous les pensionnaires compte tenu des conditions d'internat, les chercheurs provoquaient la maladie pour en observer le cours naturel. Plus encore, les délais d'attente à l'admission dans l'institution étaient écourtés lorsque les parents autorisaient la participation de leur enfant à l'étude. À l'évidence, cette expérimentation contrevenait à tout principe éthique : elle faisait courir un grave danger aux participants, ne leur apportait aucun bénéfice (Doucet, 2002, 53) et se satisfaisait d'un consentement extorqué à des parents désespérés de placer leur enfant handicapé (Glantz, 1996). Un même sort aurait-il été pensable à l'endroit de pairs indemnes de toute pathologie mentale? Les archives sont importantes pour bien comprendre le style que prend aujourd'hui l'éthique de la recherche. De ce point de vue, il est

---

[*] Dans cet exposé se retrouve parfois un vocable spécialisé issu des textes normatifs régissant l'éthique de la recherche. Dans un souci de clarification, un astérisque au regard de certains mots indique au lecteur qu'il peut se référer au guide lexical prévu en annexe.

d'ailleurs possible de retracer 'l'histoire' de la vulnérabilité* à travers les principaux textes directeurs et de percevoir dans les orientations, les tensions entre l'obligation d'obtenir un consentement éclairé de la part des participants (Tribunal Militaire, 1947) et le souci de ne pas exclure des sous-groupes de population qui pourraient bénéficier des résultats de la recherche (Commission Nationale, 1978; Trois Conseils, 1998; AMM, 2000; NBAC, 2001).

1.2. Le code de Nuremberg

C'est au lendemain de la Seconde Guerre mondiale, en 1947, au cours du procès de Nuremberg institué par le Tribunal militaire américain, que sont révélées au public les atrocités commises dans les camps de concentration par les médecins nazis se livrant à des expérimentations sur les prisonniers (Durand, 1999, 44). Ces médecins ont été jugés à partir de normes connues aujourd'hui sous le nom de Code de Nuremberg. Y sont définies en 10 points les conditions acceptables d'expérimentation sur l'être humain avec une insistance marquée sur l'importance du consentement libre et éclairé de la part du sujet pressenti à la recherche: 'Le consentement volontaire du sujet humain est absolument essentiel' (Tribunal Militaire, 1947). Le document est fondamental en ce qu'il marque une avancée dans l'affirmation des droits de l'homme en même temps qu'il suscite une prise de conscience sur les dangers du progrès scientifique. De plus et sur le plan international, c'est la première trace écrite officielle faisant allusion au consentement à la recherche (Durand, 1999, 46).

1.3. Éthique de la recherche. Premières assises institutionnelles

Le *Code de Nuremberg* a été de faible influence aux États-Unis (Durand, 1999, 46). Au fil des années, si quelques inquiétudes s'élevaient parfois (i.e. thalidomide...), jamais le paradigme d'une science fondamentalement bonne n'était vraiment remis en question (Doucet, 2002, 53). La complaisance s'est arrêtée avec Beecher, un anesthésiste de Harvard. Par son article '*Ethics and Medical Research*', paru en 1966 dans le *New England Journal of Medicine*, l'auteur dénonçait vingt-deux expériences médicales qu'il jugeait non éthiques. Chaque fois, les sujets y étaient traités en cobayes plutôt qu'en êtres humains. Pour comble, ces recherches avaient été, pour certaines, publiées par les revues médicales les mieux cotées et qui plus est, avaient été cautionnées par plusieurs autorités gouvernementales du pays (Doucet, 2002, 55). À n'en pas douter, l'intention des chercheurs était bonne et visait avant tout l'avancement des connaissances (Glantz, 1996). Cependant, la tenue des recherches avec les êtres humains n'était plus acceptable en ces seuls termes et devait changer.

Dès lors, l'élan scientifique allait être plus réservé. Cette toute nouvelle prudence s'illustrait par le développement de l'éthique de la recherche, fruit d'une collaboration volontariste entre scientifiques, politiques et administrateurs des centres de recherche (Doucet, 2002, 55). L'imposition de normes qui, hier, semblait une atteinte impensable à l'autonomie du chercheur devenait la seule voie possible pour regagner la confiance du public. Cette même année 1966, les autorités américaines mettaient sur pied les *Institutional Review Boards* (IRB), des comités locaux composés d'experts et de profanes chargés de l'évaluation des projets de recherche (Durand, 1999, 47). Reprenant l'expression de Fagot-Largeault (2001, 449), la relation expérimentateur-expérimenté n'est pas facile à acculturer. Si à l'époque, les *IRB* ont joué un rôle capital dans cette direction, ce n'est qu'en 1973, après force débats et réticences de la part des associations de médecins-chercheurs, que le *Congrès américain* votait une loi établissant la première Commission nationale pour la protection des sujets en recherche biomédicale (*National Commission for the Protection of Human Subjects of Biomedical and Behavioral Research*) (Doucet, 2002, 57). Cette commission, composée de onze membres représentatifs de différents secteurs y compris citoyen, avait pour mandat de renseigner le gouvernement sur les aspects généraux de la recherche et sur des questions plus spécifiques comme la protection des populations vulnérables. En 1978, la Commission publiait le *Rapport Belmont*, guide par excellence des principes éthiques résumés en trois points essentiels: respect de la personne, bienfaisance et justice. Nous y reviendrons.

Pour les États-Unis et bientôt d'autres pays, la période comprise entre 1960 et 1980 s'est montrée exemplaire par l'effort de réglementation en matière d'éthique de la recherche. Non seulement s'agissait-il de mettre en place la structure organisationnelle de cette éthique mais aussi de susciter la réflexion quant à sa nature et sa vocation profondes (Doucet, 2002, 58). Pour références, deux documents clefs de source internationale allaient dans ce même sens: la *Déclaration d' Helsinki* (première version en 1964) produite par l'*Association médicale mondiale* (AMM) et les *Directives du Conseil des organisations internationales des sciences médicales*

(CIOMS, 1982), d'instigation plus récente (Fagot-Largeault, 2001, 449). En 1978, le Canada souscrivait à la tendance avec l'élaboration par le *Conseil de recherche médical* (CRM) d'un code: '*La déontologie de l'expérimentation chez l'humain*' (Durand, 1999, 49). En France, le *Comité consultatif national d'éthique* (CCNE) était mis en place en 1983 (Sève, 2001).

2. Valeur scientifique, principes fondateurs et normes en éthique de la recherche

Dans cette seconde partie, il sera d'abord question d'introduire les éléments caractéristiques qui servent de guide dans la détermination de l'éthicité d'un projet de recherche. Une fois présentés, il s'agira de montrer comment ces différents critères se retrouvent dans les textes normatifs régissant l'éthique de la recherche.

2.1. Valeur scientifique du projet de recherche

> '*Sans la valeur scientifique du projet, le sujet s'expose à des contraintes voire des risques inutiles.*' (Doucet, 2002, 62)

Pour être éthique, une recherche doit démontrer une valeur scientifique certaine, autrement dit, contribuer à la génération de bienfaits classiquement décrits en trois points (Trois Conseils, 1998, Énoncé de politique, I.4): compréhension et acquisition de connaissances, avantages thérapeutiques possibles pour les sujets de recherche et enfin, bénéfices pour la collectivité ou un groupe donné d'individus. Ce double dessein collectif et mélioratif précise les finalités de la recherche de même qu'il justifie l'inévitable instrumentalisation des sujets (Parizeau, 2001, 233). Mais au-delà, il s'agit pour le chercheur de clarifier ses rapports avec le milieu (curiosité scientifique non justifiée ou au contraire motivée par un problème de santé, quête de notoriété...) (MSSS, 1998, 1). Il s'agit également d'orienter et contenir la recherche sous l'égide du principe de réalité (i.e. contexte de ressources limitées). Tous ces aspects sont reliés et, en pratique, relèvent d'enjeux aussi cruciaux que l'intégrité scientifique* (conflit d'intérêts, conduite de la recherche, diffusion des résultats...) (Sparks, 2002), la scientificité* (rigueur méthodologique, validité des résultats...) (Missa, 2001, 724) et somme toute, la réputation du milieu.

Pour autant, une fois répondu favorablement à la perspective du bien public, il s'agit de ne sacrifier en rien aux intérêts des sujets de recherche: «Dans la recherche médicale sur les sujets humains, les intérêts de la science et de la société ne doivent jamais prévaloir sur le bien-être du sujet » (AMM, 2000, article 4). Bien que ce principe soit solidement établi, certains auteurs s'alarment du risque de plus en plus grand de voir les sujets de recherche subordonnés à des objectifs guidés par les lois du marché et la logique utilitariste (Woodward, 1999). L'autre réserve s'attache à l'évolution de l'état des connaissances avec comme conséquence pour les chercheurs et évaluateurs de projet, l'obligation de toujours confronter la pertinence des recherches à un effort d'actualisation (Roberts, 1999).

2.2. Principes éthiques fondateurs - Cadre conceptuel (*Roberts L, 1999, 1107*)

L'orientation des textes directeurs initiaux en matière de protection des sujets humains s'inscrit pour beaucoup en réaction à des événements spécifiques (i.e *Code de Nuremberg* et consentement) (Emmanuel et al., 2000). Pour sa part, le *Rapport Belmont* (Commission Nationale, 1978) propose une approche différente: il est le seul document public à expliciter les réflexions fondamentales à l'origine de ses orientations (Doucet, 2002, 62). En d'autres mots, il offre le cadre conceptuel (Roberts, 1999), la référence intellectuelle sur laquelle s'appuyer dans les situations non prévues par les réglementations (Doucet, 2002, 62). Ainsi, trois principes fondamentaux y sont identifiés et retenus en ce qu'ils influencent les régulations les plus récentes (Trois Conseils, 1998; AMM, 2000; CIOMS, 2002).

✦ *Le respect de la personne*

Sous la double loi de l'autodétermination des sujets et du refus de leur instrumentalisation, le principe de 'respect de la personne' est central et renvoie à deux convictions éthiques : 1) l'*autonomie* qui en essence réfute la toute puissance du chercheur et exige l'obtention d'un *consentement volontaire* des participants à la recherche; 2) la protection des personnes à l'autonomie diminuée. Tel que soulignée par la Commission (1978), cette deuxième exigence morale n'a d'intérêt que si elle est flexible : « *Le jugement considérant qu' une personne manque d' autonomie devra (donc) être réévalué périodiquement et variera selon les situations* » (Rapport Belmont, 5).

Ainsi, l'application en est parfois problématique, oscillant entre la surprotection des sujets ou leur manipulation indue (Dresser, 1996; Roberts, 1999). Enfin, dans le cas extrême de la personne mineure ou jugée inapte, le souci de sauvegarde contre les abus de l'expérimentation s'exerce par le recours à des tierces parties (Doucet, 2002, 63). De ce point de vue, d'autres questions surgissent, à commencer par la défense (authentique) des intérêts du sujet (Bonnie, 1997; Dresser, 1996). Certains représentants légaux peuvent avoir à cœur des thèmes de recherche spécifiques et projeter leur conviction par substitution interposée; d'autres encore peuvent minimiser l'importance des risques et hasarder la participation de leur protégé(e) là où ils la refuseraient pour leur compte. Des principes complémentaires sont donc nécessaires.

◆ *La bienfaisance*

Ce principe issu de la pure tradition médicale a été étendu par Claude Bernard au domaine de la recherche (Commission Nationale, 1978, 6). Dans le contexte, le mot est fort et renvoie à une obligation, spécifiée par deux notions complémentaires: 1) ne pas faire de tort; 2) maximiser les avantages et minimiser les dommages possibles. En pratique, l'application de telles maximes dans le respect de l'éthique, ne manquent ni de difficultés ni d'une certaine ambiguïté. L'évaluation du risque en particulier apparaît des plus délicates, compte tenu des multiples dimensions à prendre en compte : 1) la nature du risque qui peut être physique, psychologique, économique...; 2) son degré de sévérité; 3) sa probabilité de survenue d'ordre purement spéculatif; 4) son terme. Les choses se compliquent encore dès que l'on considère le niveau de risque (individuel, familial, social) et que l'on prend en compte le contexte d'évaluation: type de population (enfants, malades mentaux...), visée de l'expérimentation (thérapeutique* ou cognitive*) (Commission Nationale, 1978, 12-13). De fait, l'idée d'un équilibre positif en faveur des avantages pour le participant se doit d'être centrale à tout projet. Toutefois, les tensions surviennent dès que la recherche offre *'un risque plus que minimal** (Trois Conseils, 1998, règle c.1) *sans la perspective d' un avantage direct au profit du sujet pressenti'* (Commission Nationale, 1978, 7). Sans surprise, le débat se passionne d'autant plus qu'il s'agit d'enfants et d'autres populations vulnérables. À nouveau, se voit rappelée - et interpellée - la finalité de la recherche qui, contrairement à la clinique, obéit à une logique utilitariste visant l'avancement des connaissances médicales et scientifiques *'pour le plus grand nombre et leur plus grand bien'* (Parizeau, 2001, 233). À noter enfin que dans l'évaluation des risques et bénéfices, le Canada retient la notion de risque minimal et non pas la catégorisation en vigueur aux États-Unis bâtie sur une hiérarchisation du risque (i.e risque *supérieur* ou *légèrement supérieur* au risque minimal avec ou sans bénéfice(s) direct(s) pour les sujets (Hirtz et al., 2002; Roberts et Roberts, 1999).

+ *La justice*

Le critère d'équité dans la répartition du fardeau de la recherche est aujourd'hui communément admis et recherché. Cette position renvoie à la macro éthique et représente le point d'ancrage de l'univers scientifique avec les réalités sociales (pauvreté, discriminations…). Derrière la prise de conscience, s'inscrit en filigrane la responsabilité du chercheur (Kahn, 2001).

De manière concrète, l'essentiel de la question de la justice en recherche se joue à travers la sélection des sujets pressentis. Deux niveaux sont à prendre en compte: 1) sélection des communautés à étudier; 2) sélection des individus à l'intérieur de groupes donnés. Dans ses recommandations, le *Rapport Belmont* (Commission Nationale, 1978, 15) préconise un ordre de priorité dans les catégorisations (de préférence les adultes, puis les enfants…; éviter les populations captives, les minorités, les personnes inaptes…), à moins que la recherche ne soit directement liée à la spécificité de la catégorie participante. De ce point de vue et du fait de certains mouvements activistes (féminisme, association de malades…), les attitudes ont évolué. Le concept de justice sociale n'est plus seulement raisonné par défaut, en terme d'évitement du fardeau; l'accent est mis désormais sur la répartition des bénéfices potentiels de la recherche (i.e. nouvelles molécules, essais cliniques et patients sidéens) (NBAC, 2001, chap 1).

2.3. Normes en vigueur

+ *Textes directeurs internationaux*

En 2000 (AMM), la *Déclaration d' Helsinki* présentait sa sixième version. L'accent actualisé est mis sur la responsabilité de l'investigateur. Par ailleurs, la préséance des intérêts des sujets de recherche est en tout point rappelée (i.e traitement standardisé *versus* placebo…). En 2002, la dernière des trois éditions du *CIOMS* était publiée. Inspiré du *Rapport Belmont* (Commission Nationale, 1978) et de la *Déclaration d' Helsinki* (AMM, 2000) l'ouvrage reste spécifique par sa préoccupation pour les recherches parrainées à l'extérieur ou conduites dans les pays en voie de développement.

+ *Textes canadiens et québécois*

En contexte canadien et québécois, deux documents font référence en matière de recherche avec les sujets humains. En août 1998, trois conseils de recherches (*le Conseil de recherches en sciences humaines, le Conseil de recherches médicales devenu depuis Institut de recherche en santé du Canada et le Conseil de recherche en sciences naturelles et en génie*) publiaient un Énoncé de politique commun en matière d'éthique de la recherche. Ici, le défi à relever était énorme puisqu'il s'agissait de confronter un document unique à des pratiques très diversifiées (Doucet, 2002, 106). Dans les universités canadiennes et leurs centres affiliés, tout individu (chercheur, professeur, étudiant...) qui conduit des travaux avec les sujets humains vivants, les cadavres et les restes humains doit se soumettre aux règles édictées par l'*Énoncé de politique*. Le document se veut le plus exhaustif possible avec le traitement d'une dizaine d'enjeux éthiques (consentement, vie privée, conflits d'intérêt...).

Sur le thème spécifique de la protection des sujets inaptes ou mineurs, la position québécoise est définie par l'article 21 du *Code civil québécois*.

Code civil du Québec

Protection des personnes vulnérables

Un mineur ou un majeur inapte ne peut être soumis à une expérimentation qui comporte un risque sérieux pour sa santé ou à laquelle il s'oppose alors qu'il en comprend la nature et les conséquences.

Il ne peut en outre être soumis à une expérimentation qu'à la condition que celle-ci laisse espérer, si elle ne vise que lui, un bienfait pour sa santé ou, si elle vise un groupe, des résultats qui seraient bénéfiques aux personnes possédant les mêmes caractéristiques d'âge, de maladie ou de handicap que les membres du groupe. Une telle expérimentation doit s'inscrire dans un projet de recherche approuvé et suivi par un comité d'éthique. Les comités d'éthique compétents sont institués par le ministre de la Santé et des Services sociaux ou désignés par lui parmi les comités d'éthique existants; le ministre en définit la composition et les conditions de fonctionnement.

Code civil du Québec, art. 21 (extrait)

De plus, par rapport aux autres provinces, le Québec présente une particularité avec le *Plan d'action ministériel en éthique de la recherche et en intégrité scientifique* (MSSS, 1998). Là encore, le propos est ample; il s'adresse à la totalité des secteurs de la recherche et en appelle à la responsabilité de l'ensemble des acteurs du réseau de la santé (hors campus universitaire) impliqués de près ou de loin (chercheurs, administrateurs, organismes subventionnaires...) pour tous projets conduits sur des personnes, des embryons ou du matériel génétique (MSSS, 1998). Ce *Plan* n'est pas un exercice d'exception culturelle mais vise l'intégration des principes nationaux et internationaux au contexte québécois (Doucet, 2002, 117).

Après ce tour d'horizon rapide autant des exigences à respecter que des lignes directrices nationales et internationales auxquelles se référer en matière d'éthique de la recherche, le prochain paragraphe s'intéressera à l'évaluation éthique. Dans un premier temps, il s'agira d'une présentation très générale des comités d'éthique de la recherche (CÉR). Ensuite, quelques enjeux particuliers aux différents types de recherche seront abordés. Des commentaires plus englobants conclueront la section.

3. Comités d'éthique de la recherche et évaluation éthique

3.1. Comités d'éthique de la recherche

Le comité d'éthique de la recherche (CÉR) est devenu une institution incontournable. Structure internationalement reconnue, son mode de fonctionnement varie d'un pays à l'autre (Doucet, 2002, 127). Au Canada, les CÉR sont en place depuis 1978; d'abord connus sous le nom de comités de déontologie, leur configuration actuelle (pouvoirs, composition, procédure d'évaluation) date de 1998 (Trois Conseils, 1998, chap 1). Les CÉR ont pour mission de s'assurer que toute la recherche avec des sujets humains se déroule conformément aux principes éthiques (Trois Conseils, 1998, 1.1). De là, un triple mandat d'évaluation, d'éducation et de surveillance. Au Québec, en vertu de l'article 21 du *Code civil*, un comité spécial, *désigné* par le Ministère de la santé et des services sociaux, doit évaluer tout projet qui implique des mineurs ou des adultes inaptes, et ce, quelque soit le lieu où s'exerce la recherche. En l'espèce, une trentaine de comités ont ainsi été dénombrés (MSSS, 1998, 13).

Les critiques relatives au CÉR, quand elles sont soulevées, déplorent au niveau de ses membres une représentativité du public encore trop restreinte (Parizeau, 2001a, 194) *a fortiori*, si la communauté est spécifique (i.e représentants de la maladie d'Alzheimer) (Dresser, 1996). Par ailleurs, certains observateurs s'inquiètent de l'importance de plus en plus grande que prend la forme sur les processus (Doucet, 2002, 91; Parizeau, 2001a, 194).

3.2. Évaluation éthique

Selon une compréhension de la santé que l'on veut désormais large, de plus en plus de protocoles de recherche issus des sciences biomédicales empruntent à la méthodologie des sciences sociales (Hoonaard, 2001; Doucet, 2002, 226). Pour autant, certaines règles d'évaluation éthique issues de la médecine expérimentale supportent difficilement la transposition vers le qualitatif (Doucet, 2002, 225-250). Parlant autonomie, il est des protocoles de nature inductive, incompatible avec la notion de consentement éclairé dans son sens le plus strict. Les exemples sont nombreux. Sur le terrain, en effet, il est question parfois de processus (observation participante, entrevues, questionnaires) dont la complète maîtrise échappe à l'investigateur. Par ailleurs, il se peut que des traditions autres qu'individualistes répondent mal aux normes d'autonomie en vigueur dans nos sociétés (Hoonaard, 2000). En ce sens, une certaine flexibilité devrait pouvoir s'appliquer sans que d'aucune façon, les principes éthiques de base ne s'en trouvent 'égratignés' (Trois Conseils, 1998, i.1, i.3). Une telle réflexion se veut généralisable à l'ensemble du milieu de la recherche, une fois considérés les aléas immanquables auxquels tous les protocoles, quelqu'en soit le type, sont confrontés (Glantz, 1996; Roberts, 1999). Le suivi de la règle n'est qu'un des aspects de l'éthique (Hoonaard, 2000; Kahn, 2001). D'ailleurs à règles, Glantz (1996) préfère la notion de concept chaque fois qu'il y a flou et ambiguïté possibles, voire danger dans l'inter-prétation (i.e. risque minimal chez un adolescent au comportement à 'risques'; consentement *versus* assentiment chez une personne partiellement inapte).

Pour ces raisons et d'autres, le chercheur ne peut faire l'économie d'une réflexion sur la signification profonde que revêt pour lui les notions de protection et de droits des sujets: «Il est temps de passer d'une culture de la 'compliance' à une culture de la conscience et de la responsabilité» (Koski cité par Kahn, 2001). Pour Hoonaard (2000), l'expansion de l'éthique - via l'hypertrophie réglementaire - rend compte de 'la crise de panique morale' d'une société en mal de repères religieux et soumise aux pressions d'une culture individua-liste extrême. Il en résulte une perversion de l'éthique, la perte de son sens profond, malencontreuse pour certains secteurs de la recherche. C'est aux chercheurs concernés que revient en partie le rôle et la responsabilité de sensibiliser les comités d'éthique de la recherche à des projets de nature différente. (Doucet, 2002, 241; Hoonaard. 2000). C'est d'ailleurs à cette position que renvoie le

'*Repeat*' (*Research Protocol Ethics Assessment Tool*), outil d'évaluation développé dans le cadre spécifique de la recherche en psychiatrie (Roberts, 1999).

4. Éthique de la recherche et psychiatrie

Maintenant que l'éthique de la recherche a été introduite à partir des perspectives historique, fondamentale et procédurale, ce dernier paragraphe questionnera la spécificité éthique de la recherche notamment en pédopsychiatrie puis soulèvera un certain nombre d'enjeux tels qu'ils se présentent dans leur application.

4.1. La (pédo)-psychiatrie, une maladie, des malades comme les autres?

Longtemps la psychiatrie s'est cherchée un paradigme de référence. Pour plusieurs (Gindro et al., 1998; Wells, 2002), ces velléités caractérisent la discipline en ce qu'elle s'adresse à la fois au cerveau (*brain*) et à l'esprit (*mind*). Aujourd'hui cependant, il semblerait que le milieu amorce sans ambiguïté un 'virage scientifique' (Roberts et al., 2001; Wells, 2002). Paradoxalement en effet, cette spécialité médicale réputée jusque là comme la 'moins' scientifique de toutes, est inondée comme aucune autre par une somme de données, chacune plus novatrice, issue des neurosciences (Moreno, 2003). Le champ est prolixe et prometteur, mais aussi 'bouleversant' en ce qu'il suppose de changements philosophique, culturel, éthique... relatifs à la maladie mentale.

Depuis quelques décades déjà, progrès diagnostiques et thérapeutiques aidant, les conditions d'exercice de la psychiatrie ont considérablement évolué. Désormais, très peu de patients sont hospitalisés à long terme et/ou sous contrainte (Michels, 1999). À l'encontre des années 70 où le malade mental était considéré sans nuance comme inapte, le regard posé aujourd'hui se veut différent. Il reste que la protection des sujets de recherche parmi les plus vulnérables reste de première actualité (Michels, 1999; NBAC, 2001, 4.2; Roberts et Roberts, 1999). En ces termes, c'est rejoindre le cœur du débat, du moins tel qu'il se présente aux États-Unis (Bonie, 1997; Roberts et Roberts, 1999). D'aucuns comme Michels (1999), s'inquiètent des risques de stigmatisation et préconisent de définir l'aptitude des patients souffrant de pathologie mentale moins sur la base de la catégorie diagnostique que sur la capacité potentielle des sujets à la prise de décision. D'autres se rassurent de la mise en place d'un maximum de balises profitables, selon eux, à l'ensemble du milieu de la recherche (Capron, 1999).

Chez l'enfant atteint de troubles mentaux comme chez l'adulte, la dimension éthique est toujours questionnée, que le parti soit de conduire des recherches et répondre aux défis propres à ce type de population ou au contraire, de s'abstenir de toute initiative en matière d'investigation et contrevenir ainsi au développement des connaissances (Glantz, 1996; Roberts et Roberts, 1999). Pour Glantz (1996) (sur le thème de la recherche en pédiatrie) l'objet du débat n'est pas tant celui du bien-fondé de la recherche avec les enfants que les mesures à prendre en vue d'assurer le plein respect des jeunes participants. Pour cette 'clientèle', la notion de spécificité, si elle est retenue, repose sur le cumul des vulnérabilités (juridique, développementale, cognitive parfois...) (Vitiello et al., 1999).

4.2. Applications

Avec plus d'insistance encore lorsque rattachés à la recherche avec les enfants et les malades mentaux, deux thèmes s'imposent, récurrents: le consentement volontaire (Appelbaum, 1998; Hirtz et al., 2002; Roberts et Roberts, 1999; Roberts, 2002; Shield et al., 1994) et la méthodologie (Appelbaum, 1997; Vitiello et al., 1997; Lehrman et al., 1997; Vitiello et al., 1999).

✦ *Consentement volontaire*

Le consentement volontaire (Doucet, 2002, 85-91) constitue l'élément central de l'éthique de la recherche. Valorisé par tous les textes réglementaires, il revêt néanmoins une gamme de significations étendue : passe-droit à la recherche pour certains, il devient prétexte et lieu de la relation chercheur-sujet pour d'autres (Roberts et Roberts, 1999; Woodward, 1999). Advenant l'incapacité de la personne, plusieurs attitudes sont possibles: soit la référence strictement légale, soit, et de plus en plus retenue, la perspective plus large de la vulnérabilité. Dans ce cadre, deux conditions sont à respecter: 1) l'autorisation par le représentant légal; 2) l'assentiment de la personne dont le degré de handicap n'exclut pas un certain niveau de compréhension (Doucet, 2002, 89-90) sachant que de la même façon 3) un simple refus de la part du sujet l'écarterait de la recherche (Trois Conseils, 1998, Énoncé de politique, règle 2.7).

Chez l'enfant, la problématique participe de la même logique de reconnaissance et d'affirmation des droits de la personne (article 21, Cc Q). De ce point de vue, il est intéressant de noter que la participation d'un mineur à une recherche part du principe que ni le parent, ni l'enfant ne se voit accordé le plein pouvoir de décision – l'idéal recherché étant l'accord partagé[1]. Pour autant, le premier droit reconnu à l'enfant concerne sa protection, autorisant voire cautionnant ici une prise en charge paternaliste (Glantz, 1996). En effet, à l'image de l'affaire *Willowbrook* (Glantz, 1996), les parents eux-mêmes, garants du meilleur intérêt pour leur enfant, sont parfois soumis à des pressions délétères pour le jeune (Hirtz et al., 2002).

Des différentes dimensions (communication, volontarisme...) prises en compte dans la validité du consentement (Roberts et Roberts, 1999; Roberts et al., 2002), l'aptitude à la prise de décision a été la plus étudiée chez les enfants (Hirtz et al., 2002) mais surtout les malades mentaux. La prise décisionnelle en effet renvoie à un certain nombre d'habiletés cognitives (comprendre, raisonner, évaluer sa propre situation, faire un choix) que la pathologie mentale peut rendre caduques (Gwen, 1996). Pour autant, il n'y a pas d'absolu tant le processus est complexe; loin d'être figé, il varie selon la nature de la décision à prendre et le contexte, selon chaque patient, selon le degré de sévérité de l'atteinte en cause et son évolution dans le temps (Appelbaum, 1998; Roberts et Roberts, 1999; Roberts, 2002). De surcroît, des études ont démontré chez les sujets souffrant de troubles sévères, une amélioration de la compétence à la prise de décision par des apprentissages spécifiques ou par l'utilisation d'autres modalités de diffusion de l'information (répétition des données, discussion en groupe, présentation par d'anciens malades...) (Appelbaum, 1998, Reynolds, 2002). Des procédés semblables, alternatifs (vidéos, pictogrammes...) ont été utilisés avec succès chez des enfants souffrant de troubles développementaux (Hirtz et al., 2002).

♦ *Méthodologie/ Nature des recherches, nature des risques*

Essais cliniques

De façon générale, l'essai clinique médicamenteux représente aujourd'hui le type de recherche clinique interventionniste le plus répandu (Doucet, 2002,147) au point d'être l'objet privilégié de lignes directrices émises par Santé Canada '*Les bonnes pratiques cliniques*' (Santé Canada, 1997). Peut-être davantage encore dans ce cadre, la portée lexicale est importante et commence par la distinction

---

[1] En recherche, est considéré comme mineur et donc soumis obligatoirement à l'autorisation parentale, tout jeune de moins de 18 ans; les dérogations accordées parfois à partir de 14 ans ne se retrouvent que dans les situations cliniques.

entre essai à visée thérapeutique (anticipation de bénéfices directs pour le patient) et essai à visée cognitive (avancement des connaissances), chacun relevant d'enjeux de nature bien différente (Fagot-Largeault, 2001, 448). De la même façon, les principes méthodologiques (sélection des patients, randomisation...) sont à prendre en compte, tant la répercussion est grande sur l'évaluation éthique (Doucet, 2002, 149; Walsh et al., 2000). Enfin, une fois ouvert ce dossier de la recherche sur les nouveaux médicaments, il est impossible de taire les tensions entre les perspectives scientifique, financière et éthique (Doucet, 2002, 153; Roberts et Roberts, 1999).

Virage biologique aidant, la recherche en psychiatrie est au faîte de ces préoccupations d'autant que voulu ou non, le psychotrope a un statut particulier (Dupont, 2001, 691). D'un point de vue éthique, il est d'abord concerné par les problèmes généraux liés à l'expérimentation humaine (équilibre clinique*, risque minimal*, risque thérapeutique*...), il se caractérise ensuite par des aspects spécifiques qui peuvent aller aussi loin que le questionnement autour du 'paradigme médicamenteux' qui, dans nos sociétés, tend à s'épandre au détriment d'autres modalités de prise en charge (Dupond, 2001, 693).

La psychopharmacologie est tout autant d'actualité chez l'enfant, dans une atmosphère de scandale parfois (Katz cité par Glantz, 1996), de polémique souvent en regard notamment des 'études de sevrage thérapeutique' (*discontinuation studies*) conduites dans le but de tester l'indication de traitements au long cours (Vitiello et al., 1999). Les détracteurs de ce type de devis mettent en avant la gravité des maladies et le trop grand risque de récidive ou de décompensation tandis que les partisans de la méthode argumentent du danger chez l'enfant des prescriptions à long terme de psychotropes sans certitude de leur efficacité (Kumra et coll, 1999). À l'origine d'argumentations et de controverses similaires, des variantes expérimentales existent (études contre placebo, élimination médicamenteuse (*wash out*) ...) et doivent renvoyer chaque fois à une évaluation soigneuse des risques/bénéfices pour le participant (Carpenter et al., 2003). Ce débat n'est pas sans lien avec un autre aspect de la psychopharmacologie pédiatrique. À l'heure de l'inflation médicamenteuse infantile, beaucoup dénoncent l'écart important entre la pratique et l'état des connaissances nécessaires à une prescription avertie (Jensen et al., 1999; Hirtz et al., 2002; Sparks, 2002). En effet, résultat d'une extrapolation souvent hâtive et mal justifiée, beaucoup de médicaments utilisés chez l'enfant proviennent de la pharmacopée adulte (Vitiello et al., 1997).

Génétique et psychiatrie

Avec les progrès de la génétique, la psychiatrie s'est ouverte à un champ de possibles tant thérapeutiques que diagnostiques dont la portée est très large. Comme en témoigne la position de l'*Énoncé de politique* (Trois Conseils, 1998, 8.1) la prudence ne peut être que la règle dans un domaine de la recherche où les effets tout comme le contexte d'interprétation et d'utilisation sont impossibles à connaître. La réflexion s'adresse à différents niveaux (individu, société) et s'avère de différents ordres (épistémologique, clinique, éthique, juridique...).

Études nécessitant l'administration de placebos

D'une façon générale, l'administration de placebos dans un essai clinique est inacceptable lorsqu'il existe des interventions ou des traitements couramment dispensés à des populations particulières de sujets. (...) La conformité à ce principe (d'équilibre clinique*) explique qu'il soit possible d'administrer un placebo en tant que traitement contrôlé dans un essai clinique dans les cas suivants :
a) il n'existe pas de traitement normalisé
b) il a été démontré que le traitement normalisé ne valait pas mieux que le placebo
c) certaines preuves ont sérieusement remis en question les avantages thérapeutiques nets du traitement normalisé
d) il n'est pas possible d'offrir aux sujets un traitement efficace pour des raisons de coûts ou d'approvisionnement (...)
e) lorsque la population de sujets est réfractaire à la thérapie conventionnelle et qu'il n'existe aucun traitement normalisé de seconde ligne
f) l'ajout d'un nouveau traitement à la thérapie conventionnelle quand tous les sujets de l'essai reçoivent les traitements qui leur seraient normalement dispensés
g) les sujets ont transmis un refus libre et éclairé concernant le traitement normalisé d'une maladie bénigne pour laquelle les patients refusent généralement d'être traités, et que la remise à plus tard de ce traitement ne provoquera aucune souffrance excessive, ni risque d'inconvénients irréversibles quelle qu'en soit l'importance.

Trois Conseils, 1998, Énoncé de politique, règle 7.4

Propres à l'éthique et à un premier niveau d'intimité, les considérations sont toujours fondamentalement soucieuses du respect de la personne, de l'expression de son autonomie dans toute la mesure du possible (Kemp et Rendtorff, 2001, 877) avec au chapitre des enjeux en recherche sur la génétique, l'accent mis sur la confidentialité (Simon et al., 2000). '*Le sujet autonome possède le contrôle sur l'information qu'il détient; s'il accepte de la partager avec d'autres, il en négociera les conditions*' (Doucet, 2003).

Plus que pertinente, la clause peut toutefois être difficile à respecter. Le problème se pose notamment avec les *banques de matériel génétique* (Trois Conseils, 1998, 8.8), du fait d'un processus dont on aurait bien du mal à se convaincre de l'entière maîtrise tant l'horizon est vaste (utilisation secondaire du matériel, fusion des données, délai de conservation, conditions d'accès...). L'autre exemple concerne le dépistage génétique qui, de par sa nature, dépasse parfois la stricte sphère individuelle relevant du dilemme de la révélation aux proches, ou plus à distance, de l'exploitation indélicate d'une information privée (compagnie d'assurance, employeurs). Sans être physiques, les inconvénients n'en sont pas moins dommageables, leur portée parfois grave (discrimination, stigmatisation) (Trois Conseils, 1998, 8.4). Aujourd'hui, le décalage entre la capacité toute relative de prédiction génétique de la maladie et la capacité thérapeutique est encore trop grand (Farmer et al., 2000). Faute d'une extrême vigilance, il y a risque d'exposer la communauté aux aléas et aux travers d'une recherche mal comprise (i.e. eugénisme) (Fagot-Largeault, 2000).

Conclusion

Le cours de la recherche en psychiatrie n'a pas été épargné par les dérapages. Passé lointain, affaires récentes, il s'agit avant tout de penser la vulnérabilité. Plutôt que la question du bien-fondé de la recherche avec les enfants ou avec les malades mentaux, la réflexion aujourd'hui porte davantage sur les mesures de protection à prendre pour assurer le respect de la personne dans le sens plein du terme. Il n'y a pas une mais bien des réalités individuelles que chaque fois l'éthique s'attache à rejoindre dans ses nuances: stade d'autonomie, évaluation des risques, évolution et degré de la maladie... De la même façon, il n'y a pas une mais des recherches que certains illustrent à la façon d'un continuum entre visée cognitive pure et visée essentiellement thérapeutique. '*Du plus au moins suspect*'... La tension est inéluctable entre avancement des connaissances et instrumentalisation des êtres humains a *fortiori* quand on s'adresse aux plus fragiles et à une discipline en plein essor comme la psychiatrie. En réponse, l'éthique de la recherche propose des normes et des règles qui, pour autant, ne doivent jamais faire perdre de vue la réflexion fondamentale sur le sens de la recherche avec les êtres humains. L'essentiel du défi de la recherche éthique est là: un dessein collectif et mélioratif à réaliser dans le respect de toutes les individualités.

ABSTRACT

The protection of vulnerable subjects exposed to research procedures is more than ever opened to discussion. The authors trace back
in their review of seminal texts on the subject the first institutional
foundations of ethical rules and principles applied in research with
human subjects, until the recent creation of ethical committees and
the definition of criteria and development of tools to assess research
designs and protocols. Specific issues related to informed consent
or dealing with methodologies used in psychiatric research are
discussed in regard to the participation of children and other
vulnerable patients in research process.

Références

Appelbaum P. Rethinking the conduct of psychiatric research. *Arch Gen Psychiat* 1997; 54 (2): 117-120.

Appelbaum P. Missing the boat: competence and consent in psychiatric research. *Am J Psychiat* 1998; 155 (11).

Bonnie RJ. Research with cognitevely impaired subjects. Unfinished business in the régulation of human research. *Arch Gen Psychiatr* 1997; 54 (2): 105-111.

Capron A. Ethical and human rights issues in research on mental disorders that may affect decision-making capacity. *N Engl J Med* 1999; 340 (18): 1430-1434.

Cassier L. Incapable. In : **Hottois G, Missa JN.** (eds) *Nouvelle encyclopédie de bioéthique.* De Boek Université, 2001: 509-514.

Carpenter W, Appelbaum P, Levine R. The Declaration of Helsinki and clinical trials: a focus on placebo-controlled trials in schizophrenia. *Am J Psychiat* 2003; 160 : 356-362.

Doucet H. *Au pays de la bioéthique. L' éthique biomédicale aux Etats-Unis.* Labor et Fides, 1996.

Doucet H. *L' éthique de la recherche. Guide pour le chercheur en sciences de la santé.* Montréal: PUM, 2002.

Doucet H. La recherche génétique en psychiatrie: regards éthiques. Communication orale donnée à la Journée de la recherche du département de psychiatrie de l'hôpital du Sacré Cœur, 2003.

Dresser R. Mentally disabled research subjects. *JAMA* 1996; 276 (1) : 67-72.

Dupont JC. Psychopharmacologie. In : **Hottois G, Missa JN.** (eds) *Nouvelle encyclopédie de bioéthique.* De Boek Université 2001 : 686-694.

Durand G. *Introduction générale à la bioéthique. Histoire, concepts et outils.* Montréal: Fides, Cerf, 1999.

Emanuel E, Wendler D, Grady C. What makes clinical research ethical? *JAMA* 2000; 283 (20): 2701-2711.

Fagot-Largeault A. (2000) Génétique et psychiatrie, questions éthiques dans http://psychiatrie-française .com-/psychiatrie_française/2000/Génétique psychiatrie (page consultée le 23.09.03).

Fagot-Largeault A. Expérimentation humaine. In : **Hottois G, Missa JN.** (eds) *Nouvelle encyclopédie de bioéthique.* De Boek Université, 2001: 445-453.

Farmer A, Owen M, Mc Guffin P. Bioethics and genetic research in psychiatry. *Br J Psychiat* 2000; 176: 105-108.

Gindro S, Mordini E. Ethical, legal and social issues in brain research. *Curr Opin Psychiat* 1998; 11 (5): 575-580.

Glantz L. Conducting research with children: legal and ethical issues. *J Am Acad Ch & Adol Psychiat* 1996; 35 (10) : 1283-1291.

Gwen A. Ethics in psychiatry research and practice. *Curr Opin Psychiat* 1996; 9 (5): 348-351.

Hirtz D, Fitzsimmons L. Regularory and ethical issues in the conduct of clinical research involving research. *Curr Opin Ped* 2002; 14 (6) : 669-675.

Hoonaard W. Is research-ethics review a moral panic? *The Canadian Review of Sociology and Anthropology* 2001; 38 (1): 19-36.

Jensen P, Bathara V, Vitiello B, et al. Psychoactive medication prescribing practices for U.S children: gap between research and clinical practice. *J Am Acad Ch & Adol Psychiat* 1999; 38 (5) : 557-567.

Kahn J. Moving from compliance to conscience. Why we can and should improve on the ethics of clinical research? *Arch Int Med* 2001; 161: 925-928.

Kemp P, Rendtorff J. Vulnérable (personne) In : **Hottois G, Missa JN.** (eds) *Nouvelle encyclopédie de bioéthique.* De Boek Université, 2001 : 876-879.

Kumra S, Briguglio C, Lenane M, et al. Including children and adolescents with schizophrenia in medication-free research. *Am J Psychiat* 1999; 156 (7): 1065-1068.

Lehrman N, Sharav V. Ethical problems in psychiatric research. *J Mental Health Administration* 1997; 24 (2): 227-250.

Michels R. Are research ethics bad for our mental health? *New Engl J Med* 1999; 340 (18): 1427-1430.

Missa JN. Scientificité (Principe de) In : **Hottois G, Missa JN.** (eds) *Nouvelle encyclopédie de bioéthique.* De Boek Université, 2001: 724.

Moreno D. Neuroethics: an agenda for neuroscience and society. *Neurosciences* 2003; 4 : 149-153.

Parizeau MH. Comité d'éthique. In : **Hottois G, Missa JN.** (eds) *Nouvelle encyclopédie de bioéthique.* De Boek Université 2001a: 191-196.

Parizeau MH. Consentement. In : **Hottois G, Missa JN.** (eds) *Nouvelle encyclopédie de bioéthique.* De Boek Université, 2001: 229-235.

Reynolds C. Advancing research in decision making capacity. An opportunity for leadership – and an obligation of geriatric psychiatry. *Am J Geriatr Psychiat* 2002; 10 (2): 117-119.

Roberts L. Ethical dimensions of psychiatry research: a constructive, criterion-based approach to protocol preparation. The Research Protocol Ethics Assessment Tool (RePEAT). *Biol Psychiat* 1999; 46: 1106-1119.

Roberts L, Roberts B. Psychiatric research ethics: an overview of evolving guidelines and current ethical dilemmas in the study of mental illness. *Biol Psychiat* 1999; 46: 1025-1038.

Roberts L, Bogenschutz M. Preparing the next generation of psychiatry researchers. *Academic Psychiatr* 2001; 25 (1): 4-7.

Roberts L. Informed consent and the capacity for volun-tarism. *Am J Psychiat* 2002; 159 (5): 705-712.

Roberts L, Warner T, Brody J, et al. Patients and psychiatrist ratings of hypothetical schizophrenia research protocols: assessment of harm potential and factors influencing participation decisions. *Am J Psychiat* 2002; 159 : 573-584.

Sève L. Comité Consultatif National d'Éthique. In : **Hottois G, Missa JN.** (eds) *Nouvelle encyclopédie de bioéthique.* De Boek Université, 2001: 196-199.

Shield JPH, Baum JD. Children consent to treatment. *Br Med J* 1994; 308 : 1182-1183.

Simon G, Unützer J, Young B, et al. Large medical databases, population-based research and patient confidentiality. *Am J Psychiat* 2000; 157: 1731-1737.

Simonnot AL. (2000) Psychiatrie et eugénisme. In : *http://psychiatrie-française.com/psychiatrie_ française/-2000/Génétique_psychiatrie* (page consultée le 23.09.03).

Sparks J. Taking a stand: challenging medical discource. *J Marital and Family Therapy* 2002 ; 28 (1): 51-59.

Vitiello B, Jensen P. Medication development and testing in children and adolescents. Current Problem, future directions. *Arch Gen Psychiat* 1997; 54: 871-876.

Vitiello B, Jensen P, Hoagwood K. Integrating science and ethics in child and adolescent psychiatry research. *Biol Psychiat* 1999; 46: 1044-1049.

Walsh T, Seidman S, Sysko R, et al. Placebo response in studies of major depression. *JAMA* 2002; 287 (14): 1840-1847.

Wells L. Philosophy and psychiatry. A new curriculum for child and adolescent psychiatry. *Academic Psychiat* 2002; 26 (4): 257-261.

Woodward B. Challenges to human subject protections in US medical research. *JAMA* 1999; 282 (20): 1947-1952.

Textes régulateurs

Association Médicale Mondiale (AMM) (2000) *Déclaration d'Helsinki.* Edimbourg. *http://www. wma. net* (page consultée le 25 11 03).

Council for international organisations of medical sciences (2002) *http://cioms.ch* (page consultée le 25 11 03).

Code civil québécois (extraits).

Commission Nationale pour la protection des sujets humains dans le cadre de la recherche biomédicale et béhavioriste (1978) *Rapport Belmont. Principes éthiques et directives concernant la protection des sujets humains dans le cadre de la recherche.* Department of Health, Education and Welfare. *http://www.cdc.gov/od/ads/ihrs/docs/FrenchBelmont.pdf* (consultée le 17 06 02).

FRSQ. (2000) *Les standarts du FRSQ sur l'éthique de la recherche et de l'intégrité scientifique.* Comité d'éthique de la recherche et d'intégrité scientifique du FRSQ. *http://www.frsqu.qc.ca* (page consultée le 25 11 03).

Ministère de la Santé et des Services Sociaux (1998) *Plan d'action ministériel en éthique de la recherche et en intégrité scientifique sur l'être humain.* MSSS, Direction des communications, Gouvernement du Québec. *http://www.msss.gouv.qc.ca (page consultée 25 11 03).*

National Bioethics Advisory Commission (2001) *Ethical and Policy issues in research involving human participants. Vol 1,* Bethesda, Maryland. *http://bioethics. georgetown.edu/nbac/human/overvol1.pdf* (page consultée le 12 06 02).

Directives de la direction des produits thérapeutiques - Santé Canada (1997) *Les bonnes pratiques cliniques: directives consolidées.* Ottawa, Ministre, Travaux publics et services gouvernementaux, Canada. *http://www.hc-sc.qc.ca/hpb-dgps/therapeut* (page consultée le 8 03 02)

Tribunal militaire international (1947) *Code de Nuremberg. http://www.ftsr.ulaval.ca/ftse/cours/bioethiq-/nuremberg.htm* (page consultée le 06 06 02).

Trois Conseils (1998) *Énoncé de politique. Ethique de la recherche avec des êtres humains.* Ministre des approvisionnements et Services Canada. *http:// www.ncehr.-medical.org* (page consultée le 25 11 03).

Annexe

Guide lexical

Équilibre clinique (concept d')

Le concept d'équilibre clinique signifie que les experts du milieu médical doutent sincèrement des mérites thérapeutiques comparés reliés à chaque groupe participant à un essai clinique. Il constitue les assises solides inspirant le devoir imposé aux chercheurs de ne pas affaiblir l'état de santé des sujets participant à un tel essai (*Trois Conseils*, 1998, p 7.1).

Expérimentation à visée cognitive

L'expérimentation 'cognitive' est une expérimentation susceptible de faire avancer la connaissance et qui ne comporte pas de bénéfice pour la santé des sujets d'expérience (i.e test d'innocuité d'un antidépresseur chez des volontaires sains) (*Fagot-Largeault*, 2001, 4455).

Expérimentation à visée thérapeutique

L'expérimentation 'thérapeutique' est l'essai sur une personne humaine d'un procédé de traitement, de diagnostic ou de prévention qui peut être directement bénéfique pour la santé de la personne en même temps qu'il permet de faire avancer les connaissances (*Fagot-Largeault*, 2001, 445).

Intégrité scientifique

Le concept d'intégrité appliqué au domaine de la recherche scientifique a pour objet la probité intellectuelle, l'usage rigoureux des ressources destinées à la recherche et l'abstention de se placer en situation de conflit d'intérêts (*Les standards du FRSQ*, 2001, section P.2).

Risque minimal

Une recherche se situe sous le seuil de risque minimal lorsque l'on a toutes les raisons de penser que les sujets pressentis estiment que la probabilité et l'importance des éventuels inconvénients associés à la recherche sont comparables à ceux auxquels ils s'exposent dans les (différents) aspects de leur vie quotidienne (*Trois Conseils, 1998*, règle c.1).

Risque thérapeutique

Le risque thérapeutique existe dans les cas où les interventions auprès des sujets sont requises pour le traitement de leur maladie.
Il est entendu que certains traitements (chirurgie, chimiothérapie...) comportent en soi de considérables risques d'inconvénients. Dans le cas de certains patients-sujets, il est possible de penser que ces risques thérapeutiques se situent sous le seuil de risque minimal car ils sont indissociables des traitements qu'ils doivent subir en temps normal (*Trois Conseils, 1998, Énoncé de politique*, p 1.6).

Scientificité (principe)

Selon ce principe, toute recherche sur l'être humain doit être menée par des scientifiques compétents qui suivent les règles de la méthodologie scientifique (*Nouvelle encyclopédie de bioéthique*, 2001).

Vulnérabilité (personne)

La personne vulnérable est un être humain dont l'autonomie, la dignité et l'intégrité exigent protection et sollicitude en raison de leur fragilité (*Nouvelle encyclopédie de bioéthique*, 2001).

La recherche clinique sur le médicament et ses liens avec la libre entreprise

Denis Lafortune
Nadine Deslauriers-Varin

Denis Lafortune est professeur à l'École de criminologie et chercheur au Centre International de Criminologie Comparée (C.I.C.C.) de l'Université de Montréal.
Nadine Deslauriers-Varin est agente de recherche au Centre International de Criminologie Comparée (C.I.C.C.) de l'Université de Montréal.

Adresse :
C. P. 6128 succ. Centre-Ville
Montréal (Québec) H3C 3J7

Courriel :
denis.lafortune@umontreal.ca

L'American College of Physicians (ACP) faisait paraître en 1990 un énoncé de principes intitulé *Physicians and the pharmaceutical industry*, dans lequel les auteurs cherchaient à mieux encadrer les relations entre les médecins (ou les groupes médicaux) et l'industrie pharmaceutique. Ce texte, d'une importance historique, se prononçait tout aussi bien sur les cadeaux offerts aux praticiens, le soutien financier des activités de formation continue, les versements aux associations ou aux sociétés médicales, que sur les liens étroits entretenus entre l'industrie et les milieux de recherche. Sur ce point plus spécifique, peut-être faut-il rappeler qu'une proportion importante de la recherche médicale, ou plus spécifiquement de la recherche en santé mentale, est financée par la libre entreprise. Les travaux ainsi soutenus peuvent porter sur le développement d'un médicament susceptible d'être utilisé à grande échelle, l'établissement de l'efficacité, de l'innocuité et de l'efficience d'un tel médicament ou encore sa mise à l'épreuve, *«off label»*, auprès de populations nouvelles. Ces travaux ont fourni et continuent de produire de précieux renseignements sur les états aigus des principales conditions psychiatriques. Cependant, il faut reconnaître que la situation générale draine vers l'industrie certains des plus brillants chercheurs qui vont poursuivre leurs travaux «au privé», tandis que d'autres se placent dans une situation plus ambiguë, naviguant le mieux possible entre les milieux académiques et les «fabriques» (Pignarre, 1999).

Faut-il s'en préoccuper? Selon plusieurs, il semble que oui. Dix ans après la publication du texte de l'ACP, l'éditeur du *New England Journal of Medicine* déplorait l'omniprésence de ces commandites et titrait son éditorial : *«Is academic medicine for sale?»* (Angell, 2000). Dans le même esprit, Susan Coyle (2002a, 2002b), membre du Comité d'éthique de l'ACP, affirmait dans *Annals of Internal Medicine* que l'influence «de l'industrie sur la pratique, la recherche et la

RÉSUMÉ

Plusieurs chercheurs cliniciens s'intéressant aux médicaments se placent dans une situation assez ambiguë, naviguant le mieux possible entre les milieux académiques et l'industrie pharmaceutique. Les auteurs dressent un portrait de la recherche clinique portant sur le médicament en considérant les sommes d'argent impliquées dans ces recherches commanditées, la fréquence des collaborations entre l'industrie, les chercheurs (considérés individuellement) et les départements universitaires, ainsi que la proportion des communications consacrées aux médicaments dans les grands congrès de psychiatrie nord-américaine. Les résultats de trois méta analyses récentes indiquent qu'une recherche subventionnée est de trois à cinq fois plus susceptible de recommander le médicament mis à l'épreuve, comparativement à une recherche menée de façon indépendante. Le consensus qui se dégage de ces méta-analyses devrait inviter les lecteurs et les comités éditoriaux de revues médicales à se montrer plus critiques.

formation médicale a continué d'augmenter, comme se sont multipliées les relations entre les médecins et l'industrie» (p. 403). Elle rappelait aux lecteurs qu'une entreprise pharmaceutique qui encourage de manière implicite ou explicite un chercheur à supprimer tel ou tel résultat, se doit d'être dénoncée d'abord aux responsables du centre de recherche ou du département universitaire impliqué, puis à la Food & Drugs Administration.

Désormais, dans plusieurs périodiques américains de haut niveau, des cliniciens et des chercheurs souvent bien avancés dans leur carrière, ou à la retraite, débattent des enjeux scientifiques, cliniques et éthiques soulevés par les liens étroits qui se sont tissés entre la recherche médicale et la libre entreprise (p. ex.: Cho et Bero, 1996; Davidoff, 2002; Davidson, 1986; DeAngelis, Fontanarosa et Flanagin, 2001; Moncrieff et Thomas, 2002; Noble, 1993; Pullman, 1997; Small et Barnhill, 1998). Dans une série d'éditoriaux aux titres percutants, de lettres aux éditeurs, de commentaires et de répliques, s'est engagé un débat autour de questions telles que la liberté académique et l'indépendance réelle des chercheurs «parrainés», la valeur scientifique des résultats qu'ils publient, certaines politiques tantôt reconnues, tantôt plus occultes de non-publication des résultats défavorables aux médicaments financés et, ultimement, sur la confiance que devraient avoir le lectorat et le public en général envers ce type de recherche.

Au Canada, un tel débat s'est tenu dernièrement (2001-2002) dans le *Canadian Medical Association Journal,* suite à la parution d'un éditorial du Dr Lewis (2001) intitulé «*Dancing with the porcupine...*». Miettinen (2002) y conseillait à ses collègues de ne pas trop s'attarder aux histoires de cas publicisées, aux abus et aux pratiques les plus contestables. Il prétendait en effet, que les menaces à la liberté et à l'intégrité académiques sont inhérentes à l'existence même d'une relation entre les chercheurs et l'entreprise. Pour lui, la réglementation doit encadrer le général et non pas le particulier.

Quelques chiffres

Joël Lexchin, rattaché au Département de médecine familiale et communautaire de l'Université de Toronto, est l'un de ces auteurs qui analysent depuis plus de dix ans les rapports entre les chercheurs et l'industrie. Il écrivait en 1999 : «Si le public en vient à croire que les associations médicales ont adopté le système de valeurs de l'entreprise privée, alors la confiance envers la médecine glissera d'un autre cran» (p. 239). Brossons, à grands traits, le portrait de la situation nord-américaine.

- *Les sommes d'argent* : Aux États-Unis, les compagnies pharmaceutiques subventionnent environ 60 % de toute la recherche biomédicale selon Bekelman, Yan Li & Gross (2003). D'après ces auteurs, les budgets consacrés par l'industrie à la recherche et au développement («R & D») ont atteint $30,3 milliards de dollars américains en 2002. Au Canada, plusieurs études se trouvent à constituer les volets locaux de devis multi-sites qui proviennent des États-Unis.

- *La fréquence des collaborations* : Bekelman, Yan Li et Gross (2003) ont analysé un corpus de 144 articles, identifiés par les moteurs de recherche *Medline et Science Citation*, et ce, sur une période allant de janvier 1980 au mois d'octobre 2002. Ils ont aussi consulté les bibliographies de ces articles, ainsi qu'une série de lettres, commentaires et éditoriaux publiés dans d'importants périodiques. Au terme de cette recherche, ils estiment qu'environ le quart des chercheurs et les deux tiers des institutions universitaires ont des liens significatifs avec l'industrie. Pour les chercheurs, ces liens seraient « suffisamment sérieux pour soulever des questions de conflits financiers » et, dans plusieurs cas, «suffisants pour biaiser les recherches ». Ailleurs en l'Occident, les liens très étroits qu'entretient l'Organisation Mondiale de la Santé avec l'industrie commencent aussi à préoccuper certains groupes plus indépendants (van der Heide, 1999; *Health Action International*, 1999).

- Les *communications et les congrès*: En 2001, Balon analysait le contenu de 737 abstracts tirés du Congrès Annuel *New Research Program and Abstracts,* tenu en 2000 par l'*American Psychiatric Association* (APA, 2000). Selon cette analyse, 313 des présentations (donc 43 %) étaient consacrées à l'expérimentation de diverses molécules. La tendance était particulièrement marquée chez les chercheurs américains, qui présentaient plus souvent sur les psychotropes que les chercheurs provenant des autres pays (p ‹ 0,04), ainsi que chez les chercheurs bien établis, qui travaillaient plus souvent sur le médicament que les jeunes chercheurs (p ‹ 0,001).

- *Les revues scientifiques*: L'omniprésence de la publicité dans de nombreux périodiques médicaux frappe tout lecteur peu habitué à de telles publications. Ainsi, la *Revue de psychiatrie et de neuroscience*, publication officielle du Collège canadien de neuropsychopharma-cologie, publie des numéros qui ont en moyenne une soixantaine de pages. Il s'y trouve régulièrement de 15 (25 %) à 24 (40 %) pages de publicité moussant l'intérêt de psychotropes en vogue, tels que Celexa®, Effexor®, Risperal® ou Seroquel®, ou encore faisant la promotion du Viagra® (!) À ces pages de publicité formelle, s'ajoutent une quinzaine d'autres pages dont le statut scientifique est plus ambigu, puisque y sont imprimées diverses « informations sur la prescription» de molécules très utilisées, telles que leurs indications, leurs posologies ou leurs interactions avec d'autres molécules. Si l'on considère que ces pages ressemblent beaucoup plus à de la formation continue commanditée qu'à de la diffusion de nouvelles connaissances, l'on peut alors conclure que 50 % de chacun des numéros fait la promotion directe ou indirecte de médicaments com-mercialisés.

Dans un autre ordre d'idées, en 2001, le Comité International des Éditeurs de Revues Médicales (*International Committee of Medical Journal Editors - ou ICMJE*) convenait de ne plus publier d'étude financée par une entreprise ayant la possibilité de limiter l'accès à l'entièreté des données recueillies, d'orienter l'analyse de celles-ci ou de contrôler la diffusion des résultats (Davidoff et al., 2001).

Les nouvelles politiques de l'ICMJE exigent maintenant une

clarification du rôle de l'industrie dans l'étude soumise aux comités de rédaction. Les évaluateurs veulent avoir l'assurance que les chercheurs/auteurs qui envoient le manuscrit sont suffisamment autonomes. Ceux-ci doivent signer une déclaration dans laquelle ils acceptent la pleine et entière responsabilité de l'étude soumise pour publication et certifient avoir eu accès à l'ensemble des données nécessaires, ainsi que toute la liberté «éditoriale» voulue pour rédiger les conclusions. Ces politiques ont depuis été adoptées par *JAMA, New England Journal of Medicine, Canadian Medical Association Journal, Journal of the Danish Medical Association, The Lancet, MEDLINE/Index Medicus, New Zealand Medical Journal, Journal of the Norwegian Medical Association, Dutch Journal of Medicine, Annals of Internal Medicine, Medical Journal of Australia,* and the *Western Journal of Medicine.* Ce groupe représente un peu moins de la moitié des 47 revues généralement considérées les « plus influentes » (Bekelman et al., 2003).

Toutefois, selon Schulman et al. (2002), les politiques de l'ICMJE n'ont eu que relativement peu de conséquences. En effet, après avoir interrogé des représentants de 122 départements universitaires de médecine, les auteurs avancent que moins de 2 % de tous les contrats entre les chercheurs universitaires et l'industrie incluent l'une des recommandations centrales de l'ICMJE, soit le possible encadrement («monitoring») des études par un comité exécutif indépendant. Dans les études qui ne se déroulent que sur un site, 50 % des chercheurs déclarent n'avoir toujours pas accès à l'inté-gralité des données de recherche. Dans les études multi-sites, ce pourcentage chute à 1 %. Schulman et ses collaborateurs (2002) concluent que: «Les institutions académiques s'engagent de manière routinière dans des recherches subventionnées par l'industrie qui ne se conforment pas aux lignes directrices de l'ICMJE en regard du devis de recherche, de l'accès aux données et des droits de publi-cation. Nos résultats suggèrent qu'une réévaluation du processus menant aux contrats de recherche clinique est nécessaire et urgent». (voir aussi Rosenberg et al., 2002)

Un cas de collaboration avortée

Selon Dyer (2001), des pressions auraient été exercées sur le Dr David Healy pour qu'il renonce au poste de directeur d'une clinique des troubles anxieux et de l'humeur (affiliée à l'Université de Toronto) qu'il venait tout juste de se faire offrir. C'est qu'en tout début de mandat, prenant la parole en novembre 2000 dans un séminaire de psychopharmacologie à Toronto, Healy aurait affirmé: a) que les inhibiteurs sélectifs de la recapture de la sérotonine, tels que la fluoxétine, peuvent parfois engendrer de l'anxiété et des idées suicidaires et b) que les psychiatres, de manière générale et sous les encouragements de l'industrie, sont portés à médicamenter trop de patients. Depuis, le Dr Healy a quitté son poste pour enseigner à l'Université du Pays de Galles (à Bangor). Or, il s'avère que cette année-là (i.e.: 2000), 52 % de tout le budget de recherche de la clinique universitaire provenait de l'industrie pharmaceutique, surtout de la compagnie Eli Lilly. Selon le Dr Paul Garfinkel, qui a assisté au séminaire, « plusieurs des personnes avec qui le Dr Healy aurait eu à travailler étaient profondément choquées par le caractère extrême de ses opinions (...) Il a été convenu que, dans un contexte clinique, il serait difficile pour lui de diriger efficacement un programme, où il ne pourrait compter sur le respect de ses collègues » (Dyers, 2001 : 591). L'apparence de congédiement qui entoure le départ du Dr Healy a amené plus de vingt-cinq scientifiques, dont deux Prix Nobel de médecine, à signer une lettre de protestation. Depuis, cette histoire alimente des débats relatifs aux notions d'éthique, d'intégrité, d'autonomie et de liberté académique en recherche biomédicale.

Un cas de molécule soutenue, le rispéridone

Comme chacun le sait maintenant, le rispéridone (Risperdal ®) est un neuroleptique de nouvelle génération introduit sur le marché nord-américain en 1994 par Janssen Pharmaceutica. Ses indications ne se limitent pas aux symptômes psychotiques. En effet, cette molécule, tout comme d'autres antipsychotiques atypiques (le ziprasidone, la quiétiapine et l'olanzapine par exemple), est souvent considérée pour soulager un large spectre de symptômes associés à des conditions psychiatriques diverses. Ainsi, selon Buckley et al. (1999), plus de 70 % des prescriptions d'antipsychotiques atypiques sont associées à des diagnostics autres que la schizophrénie.

Dans le cas précis du rispéridone, cette application «hors indication» (*off label*) est liée depuis quelques années au traitement spécifique de l'agression, et ce notamment chez les enfants (Fenchel et Lafortune, en préparation; Glick et al., 2001; Schur et al., 2003). Or, l'usage répandu du rispéridone pour atténuer les symptômes d'agressivité ne s'accompagne pourtant d'un corpus de recherches substantiel pouvant le valider (Schur et al., 2003; Pappadopulos et al, 2003). Les premiers «essais ouverts» liant le rispéridone à la diminution de l'agressivité chez l'enfant se sont surtout concentrés sur les sujets présentant des troubles envahissants du développement (TED) via les travaux de Findling et al. (1997), Mc Dougle et al. (1997) ou Nicholson et al. (1998). Aucune de ces études ne mentionne *in extenso* ses sources de financement. Une brève recherche sur l'Internet nous permet toutefois d'apprendre que le Dr McDougle « reçoit des subventions de/ est un consultant pour Pfizer Inc., Eli Lilly et la Compagnie Janssen Pharmaceutica et qu'il est un porte parole («*speaker*») pour Pfizer Inc et Janssen Pharmaceutica». Quant au Dr Findling, il est un « consultant pour / a reçu des subventions de/ des honoraires/ est un porte parole («*speaker*»)/et un membre de comités consultatifs pour Janssen, Bristol-Myers, Squibb, Eli Lilly, AstraZeneca, Pfizer et Novartis».

Les études à double insu (Findling et al., 2000; Aman et al., 2002; Snyder et al., 2002) réalisées sur l'efficacité du rispéridone auprès des enfants présentant des comportements perturbateurs laissent moins de place à l'ambiguïté (Fenchel et Lafortune, en préparation) : elles sont toutes financées directement par Janssen Pharmaceutica via la Janssen Research Foundation et son '*Risperidone Disruptive Behavior Study Group*'. Toutes ces études concluent à l'amélioration clinique des patients, à l'efficacité du rispéridone pour endiguer les comportements hostiles et à la relative rareté des effets secondaires indésirables.

Or deux articles récemment publiés et signés par d'imposantes équipes où figurent des chercheurs indépendants (*Treatment Recommendations for the Use of Antipsychotics for Agressive Youth* ou TRAAY, Schur et al., 2003; Pappadopulos et al., 2003) reprennent et réanalysent les conclusions des études à double insu susnommées. Dans ces textes, il est frappant de constater que les effets secondaires sont tout à coup décrits comme étant passablement plus lourds. Outre le gain de poids jugé préoccupant, Schur et al. (2003) soulignent que l'incidence d'effets extra pyramidaux n'est pas à négliger, que l'usage du rispéridone peut être associé à une augmentation du niveau de prolactine et qu'il peut mener au priapisme. Par conséquent, les recommandations cliniques du TRAAY (Pappadopulos et al., 2003) sont beaucoup moins enthousiastes, reléguant l'usage des neuroleptiques au second rang dans le traitement de l'agression et privilégiant un traitement psychosocial. Le développement du rispéridone illustre clairement, selon nous, les problèmes scientifiques et éthiques associés au large financement des compagnies pharmaceutiques. Ces problèmes sont discutés dans la section qui suit.

Un financement n'introduisant aucun biais?

Une série de méta-analyses très récentes (Als-Nielsen et al., 2003; Bekelman, Yan Li et Gross, 2003; Lexchin et al., 2003) montrent que parmi les recherches d'ampleur mettant à l'épreuve un médicament, celles financées par l'industrie pharmaceutique sont plus susceptibles d'aboutir à des résultats positifs et de recommander le médicament étudié comme traitement de choix. D'où la nécessité d'examiner scrupuleusement les données fournies.

Ainsi, Als-Nielsen et ses collaborateurs (2003) reprennent les résultats de 25 méta-analyses déjà repérées par les Cochrane Reviews, qui regroupent elles-mêmes 370 «drug trials», afin de les inclure dans une régression logistique qui permet de contrôler l'effet possible de variables telles que la qualité méthodologique des études, la taille de l'échantillon ou l'année de publication. Ils indiquent que le médicament mis à l'épreuve est recommandé dans 16 % des études réalisées de manière indépendante, alors qu'il l'est dans 51 % des études financées (p ‹ 0,001). Le risque relatif résultant de la régression logistique est de 5,3 (intervalle de confiance à 95 % se situant entre 2,0 et 14,4), ce qui signifie qu'une étude financée a 5,3 fois plus de chances de conclure à l'efficacité du médicament qu'une étude indépendante.

Bekelman, Yan Li et Gross (2003), qui synthétisent les conclusions de plus de 1 140 études originales à l'aide d'une autre régression logistique, montrent que les résultats sont 3,6 fois plus susceptibles de conclure à l'efficacité du médicament lorsqu'il y a contribution financière de l'industrie (risque relatif Mantel-Haenszel = 3.60; intervalle de confiance à 95% = 2.63-4.91).

Quant à Lexchin et al. (2003), ils soumettent à une nouvelle analyse les résultats de 30 études et concluent, cette fois, à un risque relatif de 4,05 associant le financement à des conclusions favorables. Bref, cette série de trois méta-analyses établit que les recherches financées sont de trois à cinq fois plus susceptibles de conclure en recommandant la molécule évaluée.

Insinuer que les études financées sont fallacieuses et qu'elles présentent des résultats contrefaits équivaudrait à se lancer dans une analyse bien courte et dans un procès d'intention injuste. En fait, Lexchin et ses collaborateurs (2003) écrivent que, parmi les travaux qui ont analysé sous un angle méthodologique les liens avec l'industrie, « aucun (...) n'a conclu que les études financées par l'industrie étaient de qualité plus pauvre ». C'est que ce domaine de recherche présente diverses particularités méthodologiques : une variabilité des mesures et des dosages employés, des pratiques d'exclusion des « trop bons répondants » au placebo (« *Wash out procedure* ») et une tendance à la discussion sélective des résultats, sous un éclairage très positif, minimisant les effets secondaires (Fenchel et Lafortune, en préparation). Parfois, le devis de recherche favorise le médicament commandité en le comparant à un traitement rival administré à des doses trop faibles ou de manière inappropriée (Lexchtin, 2003; Safer, 2002). D'autres fois, le sponsor refuse aux chercheurs l'autorisation de publier des résultats défavorables. Il ne faut pas oublier que certaines revues n'acceptent pas les études défavorables au médicament, parce que ce « non-résultat » est considéré fade et ennuyant (« *boring* »).

Il est aussi troublant de constater la fréquence avec laquelle sont publiées des études qui ne reposent somme toute que sur de petits échantillons de patients. Un exemple parmi tant d'autres, Riggs, Mikulich, Coffman et Crowley (1997) s'intéressent à l'efficacité de la fluoxétine dans le traitement de la dépression chez les adolescents présentant aussi un trouble des conduites et un trouble lié à la consommation de substances. Dans leur devis sans procédure de double insu (*open label*), huit adolescents ont reçu 20 mg de fluoxétine pendant une période de huit semaines. Souvent les auteurs reconnaissent les limites de leur étude, mais ces précautions tendent à se perdre lorsque d'autres s'y réfèrent et citent les résultats.

Conclusion

Comme l'indiquent Komesaroff et Kerridge : « Il existe plusieurs façons d'orienter les résultats d'une recherche vers la production d'un résultat désirable, allant de la conception prudente du devis de recherche et du choix des doses de médicament, à la présentation sélective des résultats ou à la suppression comme telle de résultats défavorables. La notoriété d'une publication peut être augmentée en payant des auteurs pour qu'ils participent ou publient un matériel non évalué par les pairs, à titre de supplément dans une revue respectée. Les retards de communication de résultats défavorables sont courants et il est probable que les résultats de plusieurs essais cliniques ne sont tout simplement jamais publiés» (2002 : 120).

Dans l'ordre actuel des choses, l'on pourrait croire parfois que c'est au lecteur que revient la responsabilité de porter une attention particulière aux devis et aux résultats de recherche, afin de juger de la validité des interprétations présentées par les auteurs. Or, il va sans dire que cette lecture serrée et critique va bien au-delà du rapide survol de «l'abstract» qui est devenue, malheureusement, l'habitude de plusieurs. Coyle (2002b), Davidoff (2002), Shulman et al. (2002) et bien d'autres rappellent donc la nécessité de poursuivre les réflexions collectives sur l'intégrité des chercheurs, sur la validité de leurs résultats et sur d'éventuelles politiques et lignes directrices en ce sens.

En quelques lignes, nous avons tenté de transmettre le ton assez émotif qui peut entourer ces questions, comme cela se produit chaque fois qu'il est question d'éthique, de déontologie... et d'argent. Ce qui complique et enrichit considérablement le débat, c'est que tous les acteurs peuvent ici prétendre agir dans le meilleur intérêt du public et des patients (p. ex : ont droit à des médicaments novateurs? ou à des médicaments sécuritaires?). Il est probable que les liens entre la recherche et l'industrie nécessitent un cadre éthique du moindre mal, cadre qui invite aux positions nuancées et raisonnables face à des dilemmes fort complexes.

Pater et ses collègues (2002) rappellent une variable tout à fait critique dans ce débat : en dernière analyse, il reste que la principale source de financement de la recherche biomédicale est l'argent de l'industrie. Sans ce soutien, de nombreux programmes de recherche s'écrouleraient. Il n'est donc pas question, pour eux, de sombrer dans un angélisme ou une candeur qui risquerait de marginaliser la recherche canadienne, mais bien plutôt de chercher une façon de concilier les recommandations de l'ICMJE à la possibilité de mener des études bien financées, qui puissent être coordonnées par des chercheurs de pointe formés ici.

Dans un texte publié dans une revue un peu marginale, le bioéthicien Pullman (1997) a résumé en des termes fort intéressants tout un ensemble de considérations sur la recherche pharmacologique. Pullman soutenait, en effet, que la médecine académique moderne se trouvait devant un dilemme opposant une éthique de soins à une éthique de «marché» («*ethos of marketplace*»)... Nous ne pourrions mieux dire. Si ce n'est que pour proposer une hypothèse complémentaire selon laquelle les comités éditoriaux de revues scientifiques doivent, de leur côté, affronter un dilemme semblable opposant cette fois une éthique de la connaissance à une autre plus mercantile, elle aussi.

ABSTRACT

Researchers in the clinical field with specific interests in medications find themselves in an ambiguous position, being caught mostoften between academic and pharmaceutical milieus. The authors proceed to an overview of the field of clinical research on medication, considering the sums of money invested in subsidized research, the frequency of collaborations between the industry, researchers (considered individually) and University departments. In their review of the proportion of scientific communications on medications in North American conferences on psychiatry, they consider potential biases responsible for non publication of bad results or inadequate selection and procedures in drugs trials. Results from three recent metaanalyses indicate that subsidized research is three to five times more likely to recommend tested medication, in contrast with independent research. The consensus reached upon by these three metaanalyses invites the reader as well as the editorial boards of medical journals to be more critical when reviewing or accepting for publication studies sponsored by industry.

Références

Aman MG, De Smedt G, Derivan A, Lyons B, Findling RL. Risperidone Disruptive Behavior Study Group. Double-blind, placebo-controlled study of risperidone for the treatment of disruptive behaviors in children with subaverage intelligence. *Am J Psychiat* 2002; 159(8) :1337-1346.

American Psychiatric Association *Annual Meeting New Research Program and Abstracts*. Washington, DC, APA., 2000

American College of Physicians Physicians and the pharmaceutical industry. *Ann Int Med* 1990; 112 : 624-626.

Angell M. Is academic medicine for sale. *New England J Med* 2000; 342, 1516-1518.

Als-Nielsen B, Chen W, Gluud C, Kjaergard LL. Association of funding and conclusions in randomized drug trials: a reflection of treatment effect or adverse events? *JAMA* 2003; 290 (7): 921-928.

Balon, R. Does pharmaceutical research prevail? *Am J Psychiat* 2001; 158(3): 500.

Bekelman JE, Yan Li AB, Gross CP. Scope and impact of financial conflicts of interest in biomedical research: a systematic review. *JAMA* 2003; 289: 454-465.

Cho MK, Bero LA. The quality of drug studies published in symposium proceedings. *Ann Int Med* 1996; 124 : 485-489.

Coyle S. Physician-industry relations, part 1: Individual physicians. *Ann Int Med* 2002a; 136: 396-402.

Coyle S. Physician-industry relations, Part 2: organizational Issues. *Ann Int Med* 2002b; 136: 403-406.

Davidoff F. Between the lines: navigating the uncharted territory of industry-sponsored research. A former medical journal editor describes how and why staff changed their policy on disclosing conflicts of interest. *Health Affairs* 2002; 21(2): 235-242.

Davidoff F, De Angelis CD, Drazen JM, Hoey J, Hojgaard I, Horton R, et al. Sponsorship, autorship and accountability. *Ann Int Med* 2001; 135: 463-466.

Davidson RA. Source of funding and outcome of clinical trials. *J Gen Int Med* 1986; 1: 155-158.

DeAngelis CD, Fontanarosa PB, Flanagin A. Reporting financial conflicts of interest and relationships between investigators and research sponsors. *JAMA* 2001; 286: 89–91.

Dyers O. University accused of violating academic freedom to safegard funding from drug companies, *Br Med J* 2001; 323: 591.

Fenchel F, Lafortune D. (en préparation). *Du rat schizophrène à l'enfant hostile: le développement du rispéridone et son application au traitement de l'agressivité infantile.* Document inédit. Université de Montréal.

Findling RL, Maxwell K, Wiznitzer M. An open clinical trial of risperidone monotherapy in young children with autistic disorder. *Psychopharm Bull* 1997; 33(1) :155-159.

Findling RL, McNamara NK, Branicky LA, Schluchter MD, Lemon E, Blumer JL. A double-blind pilot study of risperidone in the treatment of conduct disorder. *J Am Acad Ch & Adol Psychiat* 2000; 39(4) : 509-516.

Glick ID, Murray SR, Vasudevan P, Marder SR, Hu RJ. Treatment with atypical antipsychotics: new indications and new populations. *J Psychiatr Res* 2001; 35(3) : 187-191.

Health Action International *The tie that bond? Weighting the risks and benefits of pharmaceutical industry sponsorship.* Amsterdam: Health Action Int., 1999.

Komesaroff PA, Kerridge IH. Ethical issues concerning the relationships between medical practitioners and the pharmaceutical industry. *Med J Austral* 2002; 176(3) : 118-121.

Lewis S, Baird B, Evans RG, Ghali WA, Wright CJ, Gibson E, et al. Dancing with the porcupine: rules for governing the university–industry relationship. *Can Med Ass J* 2001; 165(6): 783-785.

Lexchin J. (1993). Interactions between physicians and the pharmaceutical industry: what does the literature say? *Can Med Ass J* 1993; 149(10): 1391-1392

Lexchin J. (1999). Don't bite the hand that feeds you. WJM 1999; 8, 191, 238-239.

Lexchin J, Bero LA, Dulbegovic B, Clark J. Pharmaceutical Industry sponsorship and research outcome and quality: systematic review. *Br Med J* 2003: 1167-1170

Miettinen OS. Ethics and industry-sponsored research. *Can Med Ass J* 2002; 166(5) : 580-581.

Moncrieff J, Thomas P. The pharmaceutical industry and disease mongering. Psychiatry should not accept so much commercial sponsorship. *Br Med J* 2002; 325 : 216.

Noble RC. (1993). Physicians and the pharmaceutical industry: an alliance with unhealthy aspects. *Perspectives on Biological Medecine* 1993; 36 : 376-394.

Pappadopulos E, Macintyre JC, Crismon ML, Findling RL, Malone RP, Derivan A, Schooler N, Sikich L, Greenhill L, Schur SB, Felton CJ, Kranzler H, Sverd J, Finnerty M, Ketner S, Siennick SE, Jensen PS. Treatment Recommendations for the Use of Antipsychotics for Aggressive Youth (TRAAY). Part II. *J Am Acad Ch & Adol Psychiat* 2003; 42(2):145-161.

Pater JL, Parulekar W, O'Callagham C, Shepherd L, Eisenhauer E, Seymour L, Tu D, Ding K. Although we agree with the publication rules... (letter). *Can Med Ass J* 2002; 166 (5): 581.

Pignarre P. *Puissance des psychotropes, pouvoir des patients.* Paris : PUF, 1999.

Pullmann R. Financial equivalent, industry sponsored research and conflict of interest. *Bratislavske Lekarske Listy* 1997; 98(1): 5-7.

Riggs P, De Graffenreid Mikulich SK, Coffman LM, Crowley TJ. Fluoxetine in drug-dependent delinquents with major depression: An open trial. *J Ch & Adol Psychopharm* 1997; 7(2): 87-95.

Rosenberg RN, Aminoff M, Boller F, Sorenson PS, Griggs RC, Hachinski V, et al. Reporting clinical trials : Full access to all the data. *Neurology* 2002; 58(3) : 347-348.

Safer DJ. Design and reporting modifications in industry-sponsored comparative psychopharmacology trials. *Journal of Nervous & Mental Disease* 2002; 190(9) : 583-592.

Schulman KA, Seils DM, Timbie JW, Sugarman J, Dame LA, Weinfurt KP, Mark DB, Califf RM. A national survey of provisions in clinical-trial agreements between medical schools and industry sponsors. *New England J Med* 2002; 347(17): 1335-1341.

Schur SB, Sikich L, Findling RL, Malone RP, Crismon ML, Derivan A, et al. Treatment recommendations for the use of antipsychotics for aggressive youth (TRAAY). Part I : A review. *J Am Acad Ch & Adol Psychiat* 2003; 42(2) : 132-144.

Small RF, Barnhill LR. (eds) *Practicing in the new mental health marketplace: Ethical, legal, and moral issues.* Washington, DC: American Psychological Association, 1998.

Snyder R, Turgay A, Aman M, Binder C, Fisman S, Carroll A. The Risperidone Conduct Study Group. Effects of risperidone on conduct and disruptive behavior disorders in children with subaverage IQs. *J Am Acad Ch Adol Psychiat* 2002; 41(9): 1026-1036.

Van der Heide B. WHO's partnership with the pharmaceutical industry. Document en ligne: *www.haiweb or//news/brundtland.html.* Document consulté le 25 juillet 1999.

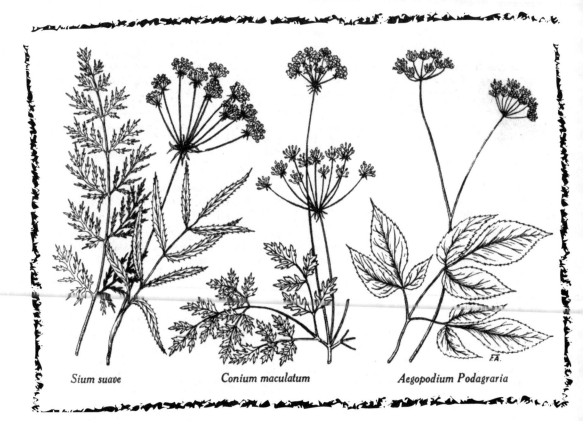

Sium suave   *Conium maculatum*   *Aegopodium Podagraria*

CONIUM - L.- CIGUË

Cette espèce fournissait, en majeure partie du moins, le breuvage que les Athéniens
faisaient prendre aux condamnés à mort. La plante a été employée comme
antispasmodique, sédative, antirabique, et comme antagoniste de la strychnine.
Le tégument de la graine contient un alcaloïde non oxygéné, extrêmement
vénéneux pour l'homme et les animaux. (...)

Flore Laurentienne Frère Marie-Victorin, É.C., Directeur-fondateur de l'Institut botanique de l'Université de Montréal.
Les Presses de l'Université de Montréal, 3e édition, 1995. Illustré par Frère Alexandre (Éd. originale, 1935)

prisme
prisme
PRISME
PRISME
PRISME

PRISME

Expériences d'intégration
et modèles innovateurs

Expériences d'intégration
et modèles innovateurs

prisme
prisme
prisme
prisme
PRISME

PRISME

n° 42

Recherche en psychiatrie infanto-juvénile
Apologie de la clinique et de la psychopathologie

M. Corcos
E. Birot
Ph. Jeammet

M. Corcos est assistant hospitalier et coordonnateur des recherches, E. Birot est psychologue clinicienne et psychanalyste, et Ph. Jeammet est chef de service du département de psychiatrie de l'adolescent et de l'adulte jeune de l'Institut Mutualiste Montsouris.

Adresse : 42, bd Jourdan 75014 Paris – France

Courriel :
maurice.corcos@imm.fr

Le service de psychiatrie de l'adolescent et de l'adulte jeune du Professeur Ph. Jeammet à l'Institut Mutualiste Montsouris a pour vocation naturelle de s'interroger spécifiquement sur le développement physiologique, affectif, cognitif et social de l'enfant et de l'adolescent. Cette singularité liée à sa clientèle explique les particularités de ses travaux de recherche.

Avant que d'évoquer le concept de « recherche clinique », il nous semble nécessaire de rappeler que la recherche tant épidémiologique que psychopathologique en santé mentale de l'enfant et de l'adolescent reste peu développée en France. La prise de conscience des pouvoirs publics de l'importance du dépistage, de l'évaluation et de la prise en charge des problèmes de santé mentale de l'enfant et de l'adolescent se développe si on en croit les priorités de santé identifiées par les conférences nationales de santé et l'affirmation que « l'Éducation Nationale a son rôle à jouer dans la promotion de la santé mentale ». On peut dès lors espérer que les organismes de recherche et les services spécialisés puissent bénéficier de financements conséquents, et que l'Éducation Nationale s'ouvre aux enquêtes nationales de dépistage en santé mentale. Le dernier rapport d'importance sur le sujet aux États-Unis (*Surgeon General Conference on Children's mental health*, sept. 2000) va dans le même sens d'une priorité accordée aux recherches sur ce sujet en termes de retombées attendues en santé publique.

I- Le concept de recherche clinique en psychiatrie

En France, le récent rapport de l'expertise collective Inserm (2003) – *Troubles mentaux, dépistage et prévention chez l'enfant et l'adolescent* – à l'élaboration duquel nous avons participé, préconise le développement des recherches en psychiatrie infanto-juvénile selon plusieurs axes :

$\left(\begin{array}{c} 82 \end{array}\right)$

RÉSUMÉ

Les auteurs considèrent le concept de recherche clinique en psychiatrie et les difficultés que pose ce champ d'études pourtant à promouvoir, en particulier celle de la difficile rencontre des approches psychopathologique et épidémiologique. Ils défendent les activités de recherche dites «non scientifiques» exposant des approches compréhensives et des études de cas fondées sur la réalité de l'expérience clinique. Ils relèvent les principaux problèmes méthodologiques soulevés par les classifications et plaident pour un modèle de recherche clinique composite dont ils esquissent les perspectives et les champs futurs de travail.

➢ Création d'outils adaptés au contexte français pour les études épidémiologiques
   mise en place d'études épidémiologiques sur les prévalences des troubles mentaux en France et leur évolution
➢ Recherches sur les facteurs de risque socio-démographiques des troubles mentaux
➢ Études de cohortes pour étudier l'impact de différents événements au cours de la période ante et périnatale et de l'enfance
➢ Réalisation d'études en psychiatrie génétique, recherche de marqueurs neurobiologiques, neurocognitifs et génétiques dans les études longitudinales
➢ Études des interactions gène-environnement dans la survenue d'un trouble mental
➢ Études de la valeur prédictive de certains signes précoces dans le développement des troubles mentaux.

Les troubles mentaux de l'enfant et de l'adolescent sont fréquents en France puisqu'ils concernent un enfant sur huit (rapport Inserm, 2003). Ils font l'objet de multiples études scientifiques internationales qui ont abouti à un certain consensus pragmatique sur la façon de les appréhender et de les classer mais qui laisse encore subsister bien des zones d'ombre et des divergences. D'une manière plus générale les troubles mentaux de l'enfant et de l'adolescent comme ceux de l'adulte apparaissent dans l'ensemble polyfactoriels et possiblement hétérogènes dans leurs mécanismes étiologiques.

Les données les plus actuelles plaident en faveur d'une continuité des troubles mentaux de l'enfance à l'âge adulte, que ce soit pour les troubles anxieux, les troubles de l'humeur ou ceux du registre schizophrénique. Mais si on retrouve le plus souvent des symptômes dans l'enfance des malades adultes, ils ne sont pas spécifiques et la majorité des enfants qui les présentent n'évolueront pas vers un trouble avéré du moins dans sa forme complète. On comprend l'intérêt de découvrir des marqueurs spécifiques, notamment biologiques, mais pour le moment ils font défaut.

De même on ne sait toujours pas si ces symptômes inquiétants représenteraient les prodromes d'un trouble qui ne se manifesterait sous sa forme complète qu'à l'adolescence ou après celle-ci, ou s'il s'agit d'une variation quantitative en un continuum depuis la normalité et qui chez certains, sous certaines conditions, aboutirait à un changement d'ordre qualitatif qui signerait l'entrée dans la maladie proprement dite.

Le basculement dans la maladie dépendrait lui-même de facteurs de risque et de facteurs de protection dont la gamme s'étend des facteurs génétiques aux facteurs psycho-sociaux en passant par les conditions d'établissement des liens d'attachement et d'éducation de l'enfant et les multiples traumatismes et événements de vie qui jalonnent son développement. Cette évolution, on le voit, est placée sous le signe de la complexité. Celle-ci s'accroît plus qu'elle ne se dissipe avec les nouvelles connaissances. C'est ainsi que si une susceptibilité génétique est mise en évidence dans la plupart des troubles mentaux, elle n'en simplifie pas pour autant la compréhension de leur genèse. Aucun des troubles ici envisagés ne répond en effet à une hérédité simple du type mendélien. La notion d'héritabilité rend bien compte de la variabilité individuelle de ces influences polygéniques dont l'expressivité est largement influencée par la qualité de l'interaction avec l'environnement.

L'opportunité que confère aujourd'hui la vigilance des pouvoirs publics sur la santé mentale de l'enfant et de l'adolescent est à saisir, mais exige une plus grande rigueur dans les études à promouvoir. Quelles approches favoriser? Comment favoriser leur articulation et surtout quelles sont celles qui envisagent puis proposent dans leurs études des moyens d'action efficace?

Sur ce point, nous considérons que le nombre relativement faible de publications françaises standardisées répondant en particulier aux exigences critérologiques internationales ne doit pas être la seule référence des activités de recherche et éluder les publications dites « non scientifiques » exposant des approches compréhensives des troubles, argumentées par l'expérience clinique et les «études de cas» qui sont, elles, nombreuses. Ces deux types d'investigation cliniques et l'élaboration de stratégies tant de dépistage que thérapeutiques doivent pouvoir avoir leur place, voire se confronter. Quoiqu'il en soit, il faut promouvoir la recherche en pédopsychiatrie, en particulier en offrant aux services spécialisés les moyens d'une réflexion, d'une action et d'un encadrement dans le domaine. En d'autres termes, reconnaître son statut de service public. Tout ceci vise à favoriser l'engagement des jeunes psychiatres, très tôt dans leur cursus, à se former à la recherche en pédopsychiatrie s'ils en ont le goût, les besoins étant importants, et les moyens alloués devant évoluer dans un sens favorable.

Ce long préambule est d'importance pour l'équipe de recherche de l'Institut Mutualiste Montsouris puisque nous avons tout particulièrement organisé des recherches en réseaux multicentriques en contrat de recherche externe Inserm (sur le suicide, sur la boulimie et sur les conduites de dépendance) pour allier des études scientifiquement rigoureuses en référence aux critères internationaux (métrologie fiable, kappa, thèmes de référence avec catégorisation diagnostique DSM-IV ET CIM 10, entretiens semi-structurés...) et des études abordant des dimensions sociologiques et psychopathologiques, les différentes approches d'un même thème se nourrissant et se complétant.

Il s'agit pour nous de faire part d'un état d'esprit de la recherche qui tire son origine de la réalité de notre expérience clinique quotidienne, qui structure une solidarité entre les différents intervenants donnant ainsi un cadre singulier à l'organisation des activités de recherche. Celui-ci vise à éviter toute politique partisane, voire idéologie ou catéchisme, et à promouvoir la complémentarité des approches.

Ainsi dans toutes les collaborations que nous avons pu proposer, nous avons explicité cet état d'esprit et avons pu travailler avec les équipes qui le partageaient, et avec des équipes spécialisées en méthodologie qui nous ont aidé à affiner notre questionnement et à obtenir des réponses fiables. De plus nos projets de recherche sont particulièrement ciblés sur toutes les problématiques où les connaissances sont insuffisantes ou contradictoires avec l'ambition que notre approche plurifocale puisse être bénéfique pour tout autant éclairer la pathogénie de ces problématiques, que d'éviter leur élimination par des thèses réductrices aux conséquences majeures en terme de santé. En d'autres termes, les hypothèses théoriques de nos recherches émanent de notre travail clinique et des interrogations qu'il suscite, et sont ultérieurement mises à l'épreuve dans notre activité quotidienne.

Nous rappellerons les principaux problèmes méthodologiques rencontrés par les chercheurs dans l'utilisation des classifications, avant que d'évoquer la recherche en psychopathologie et de proposer une recherche composite alliant ces deux approches plus complémentaires que substitutives.

A) Principaux problèmes méthodologiques soulevés par les classifications en pédopsychiatrie

- L'existence de trois classifications reflète les difficultés à connaître la limite précise à partir de laquelle on est en droit de parler de trouble. Il ne faut ni s'en étonner, ni s'en offusquer. C'est plutôt une chance car elles sont plus complémentaires qu'opposées. Elles obligent chacun à s'interroger sur ce qui fait différence comme à reconnaître les points de convergence. Conscients de cette situation leurs auteurs s'accordent sur la nécessité d'un travail permanent de révision en fonction de l'évolution des connaissances. Elles reflètent l'inévitable tension entre le primat accordé aux symptômes et la prise en compte de la relativité de ces symptômes en fonction de l'évolution de la structuration d'une personnalité en plein développement. C'est pourquoi les classifications sont plus aisées pour les adultes que pour l'enfant et l'adolescent.

  Les critères demeurent encore largement des critères de sévérité et de stabilité, c'est-à-dire des critères plus valables pour des adultes que pour des enfants en développement permanent, et qui demeurent peu satisfaisants pour une prévention efficace. En effet le dépistage est dans ces conditions soit déjà tardif, soit trop peu sélectif pour ne pas risquer avoir plus d'inconvénients que d'avantages.

- Les critères cliniques (classification DSM et CIM *VS* classification française) sont l'objet de discussions serrées, voire de débats houleux du fait d'approches théoriques différentes et de controverses sur la nature de leur validation [critères empiriques *VS* critères de niveau de preuve; données «objectives» établies selon des normes discutables; non-implication des critères sociaux et culturels et de la dimension relationnelle des troubles].

- La référence à la nosographie classique permet principalement de comparer les résultats des études entre eux, ce qui est une avancée considérable en matière de recherche. Pour autant leur validité diagnostique est problématique. Il n'existe pas de critère étalon.

- Dans les grilles standardisées de critères diagnostiques dits «objectifs et athéoriques»; le symptôme est-il le témoin d'une pathologie ou l'expression du développement (avec ces variations du normal au pathogène, jusqu'au pathologique)? Le symptôme relevé ne tient pas compte de son inscription dans le réseau relationnel plus ou moins altéré. À ce titre le relevé des symptômes par les parents, les enseignants, comme il se développe actuellement s'avère problématique.

- Les classifications DSM et CIM 10 considèrent que l'expression symptomatique des troubles chez l'enfant et l'adolescent serait similaire à celle observée chez l'adulte (présentation différente mais dans son aspect quantitatif plus que dans sa nature). Nous sommes partisans d'une analyse symptomatique nuancée en fonction de l'âge et du stade de développement. Et surtout d'une réflexion associant le relevé symptomatique (son intensité, sa durée) à une appréciation du profil de personnalité du sujet et à la mesure de ses conséquences psychosociales. Un symptôme isolé n'ayant ni spécificité ni a fortiori de valeur prédictive.

- Les critères DSM et CIM sont problématiques quant à leur possibilité d'identification des troubles précoces (avant 16 ans) et des formes subsyndromiques puisqu'ils ne cotent que les formes avérées, déjà installées et souvent graves. Ces formes symptomatiques majeures, organisées et relativement stables (ne serait ce que du fait des critères requis) sont celles où la composante génétique est prévalente. Tandis que les formes précoces et subsyndromiques qui échappent à l'identification par ces critères sont celles où l'influence des facteurs environnementaux est plus forte. Quel est le devenir potentiel de ces deux formes susmentionnées? Leur pronostic est-il généralement favorable ou leur potentiel d'autorenforcement biopsychologique jusqu'à des formes caractérisées, est-il à craindre et à prévenir ?

- Au total: selon nous, l'élaboration d'un diagnostic à l'adolescence devrait pouvoir tenir compte de trois dimensions: symptomatique, développementale, relationnelle, et être inscrit dans une perspective intégrant le continuum normal-pathologique. Ce type d'approche nous semble à même de pouvoir, sans l'éluder, contester l'hérédité de l'acquis et certaines certitudes médicales naïves, et d'éviter la dérive qui, allant du symptôme au phénomène, prétend dire la cause sans se soucier du poids du sens. En pratique, nos recherches utilisent concomitamment au diagnostic catégoriel, des classifications dimensionnelles qui évaluent les adolescents sur des continuum émotionnels et comportementaux qui vont du normal au pathologique. Certaines d'entre elles se sont basées sur des échelles d'évaluation d'inspiration psychanalytique, construites dans le service (réseau Inserm sur le suicide) ou traduites (*Depressive experience questionnaire* dans le cadre du réseau Inserm dépendance).

B) Approche psychopathologique et recherche

La prise en compte globale de la vie psychique dans une approche psychopathologique va à l'encontre du point de vue nosographique qui vise à définir la psychopathologie de l'individu autour de symptômes, voire même d'un trouble du comportement (Corcos et Brechon, 1996). Mais s'attacher à décrire le fonctionnement mental de l'adolescent entraîne à s'interroger sur la fiabilité d'une telle évaluation subjective à cette époque de la vie et sur sa stabilité dans le temps.

Pourquoi tenter d'éliminer l'inévitable subjectivité du clinicien, s'interrogent de nombreux cliniciens mais aussi chercheurs qui développent actuellement des outils méthodologiques objectivant la dimension relationnelle comme nous le verrons plus loin. La cotation d'une grille ne vient-elle pas après l'interprétation du discours du patient et, dans ce mouvement, les enjeux contre-transférentiels ne sont-ils pas déjà agissants et n'orientent-ils pas en partie le diagnostic?

Un outil méthodologique ne peut pas être un système de repérage véritablement objectif du fonctionnement mental. Il est, comme toute échelle d'évaluation, la projection d'un modèle pathologique construit à partir de l'expérience clinique et de l'interprétation de la théorie sous-jacente; il met en évidence l'élaboration que fait le clinicien du fonctionnement mental du patient.

La difficulté majeure réside donc dans la contradiction apparente entre l'abord psychopathologique et l'abord épidémiologique.

L'épidémiologie est essentiellement descriptive et évaluative plus qu'explicative. Elle s'intéresse à des groupes d'individus qu'elle différencie à partir de variables «objectivables». Elle vise donc à mettre en évidence l'existence de corrélations entre certains critères, sans expliquer la nature de ces corrélations, et sans déduire en particulier qu'il y a lien de causalité entre les critères retenus et le phénomène qu'ils caractérisent.

D'autre part, fait important et positif : ces études s'effectuent sur des populations très nombreuses, ce qui permet de conserver un grand nombre de variables dans le champ d'étude, et d'effectuer ainsi un balayage étendu, permettant de voir surgir des résultats imprévus.

La psychopathologie s'intéresse quant à elle à l'individu, à son fonctionnement mental, dans une perspective fondamentalement dynamique. L'approche psychodynamique montre abondamment que le symptôme, et de façon plus générale le comportement, «cache autant qu'il montre» (Stern, 1989). Privilégier le manifeste, ce qui est montré, est un choix qui a sa logique, mais qui n'est pas plus vrai, ni plus objectif, que de chercher à rendre compte du caché.

La mise en relation, la mise en sens, la recherche de liens sont à la base de la compréhension du travail psychique. Le fonctionnement mental a ses propres lois, ses propres mécanismes conscients ou inconscients, et ses propres objets.

Le choix du modèle psychopathologique dans un mode d'évaluation conduit donc à son apogée au hiatus entre approche épidémiologique et approche psychopathologique sur les points suivants:

- approche d'un groupe, suivant des données du monde externe ou approche individuelle par la connaissance du monde interne,
- analyse «collective» en fonction des lois statistiques et analyse strictement individuelle de la causalité psychique.

Tant que l'objectif de recherche se limite à la description de la population d'étude dans l'un ou l'autre registre, il n'y a pas de problèmes méthodologiques. Tout se complique lorsqu'on cherche à les rassembler, car des confusions risquent de s'établir:

- *une confusion des objets d'étude* : confondre par exemple l'imago maternelle intériorisée par le patient et l'image sociale de la mère, la seconde venant remplacer la première dans la description du fonctionnement mental; confondre donc la réalité psychique et la réalité sociale.

- *une confusion dans le processus d'analyse des données* et leur portée signifiante : par exemple la notion de différence significative, importante d'un point de vue statistique, a-t-elle le même intérêt d'un point de vue psychopathologique, en particulier lorsqu'elle ne différencie qu'un nombre limité de sujets?

On a en effet souvent tendance, en clinique, à majorer l'importance du chiffre, à généraliser les résultats et à penser que deux groupes étudiés sont bien différents, parce que quelques variables les différencient significativement.

- *une confusion dans l'interprétation des résultats*, lorsque l'on passe des données concernant un groupe à des données concernant des individus: par exemple il se peut que se retrouvent dans la description d'un groupe certains traits du fonctionnement mental (certaines dimensions psychopathologiques, certains mécanismes de défense, certains types de conflit), mais ce qui est déterminant pour le diagnostic, ce n'est pas tant leur présence que la façon dont ils s'imbriquent et se lient, et les résultats portant sur le groupe ne nous permettent pas d'inférer que la coexistence de ces particularités de fonctionnement se manifeste chez un même individu. Cette question prend une actualité nouvelle avec la notion de comorbidité qui, elle aussi, reflète ce choix d'envisager les syndromes pathologiques comme des entités séparées, mettant de côté tout lien qui ferait référence à une conception, nécessairement plus unitaire, du fonctionnement mental. Mais la réalité clinique, dans sa complexité, montre la juxtaposition et la succession des syndromes. On peut regarder juxtaposition et succession comme les faces différentes d'une même réalité, ou préférer les envisager comme a priori sans liens. Faut-il considérer ces syndromes comme des pathologies distinctes ou les intégrer dans une problématique centrale? Ceci est d'autant plus important qu'à l'adolescence les troubles associés sont extrêmement fréquents, et que cette spécificité symptomatique renvoie à la réalité d'une structuration psychique en devenir plus qu'à une structure avérée.

C) Pour une recherche clinique composite

Pour pouvoir manier conjointement les modèles psychopathologiques et épidémiologiques, il faut donc toujours garder à la conscience, si ce n'est à l'esprit, le fait qu'ils sont hétérogènes et que, s'ils ont le même sujet d'étude, ils n'ont pas le même objet.

Il faut se rappeler aussi qu'ils n'ont, l'un et l'autre, qu'une valeur d'objectivation limitée puisqu'ils reposent en partie sur la projection d'une image inconsciente de l'individu.

C'est précisément ici que la double approche prend tout son intérêt: il nous semble en effet que chacun des systèmes sert de miroir à l'autre, qui peut s'y projeter et s'y reconnaître.

La projection d'une évaluation psychopathologique sur un modèle statistique, nous permet de saisir notre façon implicite d'évaluer le fonctionnement mental, de poser un diagnostic, de voir que nous apportions par exemple plus de valeur, plus d'importance à certains aspects.

Si le repérage sur la quantification statistique a valeur d'objectivation, ce n'est pas par ce qu'il représente de «vérité scientifique» mais parce qu'il met en évidence certaines lignes de forces plus ou moins intangibles du fonctionnement mental.

La confrontation des deux approches peut s'avérer riche de potentialités. Ainsi lorsqu'il analyse la construction d'une grille épidémiologique sous le regard de la clinique, l'épidémiologue peut saisir quelle a été sa participation subjective dans la construction de son outil.

De même, l'intérêt pour le clinicien du détour par la cotation et le quantitatif semble multiple. Il offre pour l'essentiel une possibilité de décondensation de la démarche interprétative. La cotation est à la fois discriminative, en faisant obligation de considérer chaque item au détriment d'une vision plus globale, objectivante dans l'inventaire explicite de paramètres jugés signifiants, mais le plus souvent pris en compte plus implicitement; comparative, enfin, dans la mesure où elle permet une confrontation interjuges.

D) Perspectives

À l'issue de ces premières réflexions, pour qu'il soit possible d'exploiter au maximum toutes les potentialités de recherche composite, partant de la clinique quotidienne et aboutissant à des hypothèses étiopathogéniques, et à des recommandations en terme de dépistage et de prévention des complications, trois points devraient selon nous être favorisés:

1. *Affiner les catégories diagnostiques en psychiatrie infanto-juvénile*
 • Établir des catégories diagnostiques claires pour définir un champ d'étude.
 • Définir des paramètres génético-biologiques, physiologiques et psychopathologiques spécifiques qui peuvent permettre de soutenir la validité et la cohérence de la catégorie diagnostique.
 • Eviter de procéder à des reclassements nosographiques incessants,

en convenant de la possibilité d'une pluralité d'organisations mentales susceptibles de s'articuler les unes avec les autres.

- Sortir des catégories diagnostiques pour rechercher dans une perspective développementale des éléments psychopathologiques et des dimensions cognitives pour expliquer la diversité des tableaux cliniques.

Exemples:

a) dimensions psychopathologiques et cognitives communes et différentes dans les conduites de dépendance (TCA, toxicomanie, alcoolisme)

b) évaluation de la théorie de l'esprit dans des pathologies variées: autisme, schizophrénie, états limites.

2. *Articuler les données de la psychologie évolutive et celles de la psychanalyse*

Les nouvelles générations de chercheurs commencent à donner à l'expérience subjective du sujet une place importante à l'intérieur de la recherche, en introduisant l'utilisation de l'empathie comme outil d'observation et en le rapprochant de la perspective herméneutique empirique (Fajardo, 1993).

Durant les dernières années, la recherche évolutive a commencé à se confronter avec des arguments qui intéressent directement la théorie psychanalytique du développement infantile, tels que l'inter-action mère-enfant, l'expression et la régularisation affective, le développement du Soi et la compétence sociale. Ce rapprochement remarquable entre psychologie évolutive et psychanalyse permet une meilleure compréhension de l'expérience subjective de l'enfant (Stern, 1985). Cette transformation a eu comme catalyseurs des chercheurs doués d'une compétence tant dans le domaine de la psychanalyse que dans celui de la psychologie évolutive, de sorte qu'ils ont pu, soit élaborer des recherches sur le développement infantile avec une référence directe à la théorie psychanalytique, soit mettre en discussion quelques-uns de ses présupposés fonda-mentaux (Emde, 1981, 1983, 1988 a, b). Cette recherche a désormais atteint une bonne maturité théorique et méthodologique.

Ces expériences relationnelles précoces ont acquis dans les théories des relations objectales le statut d'expériences subjectives primaires motivantes. La contribution d'une conception interactive des processus de développement a ainsi soumis à une profonde révision le rangement internaliste des théories psychanalytiques, jusqu'à un vrai renversement des conceptions traditionnelles. Cette conception affirme en fait non seulement la priorité de l'expérience interactive sur l'expérience intrapsychique, mais aussi que l'expérience du monde interne dérive essentiellement des formes et des modes qui caractérisent l'expérience interactive (Stern, 1985).

Toutefois, un débat a récemment débuté sur la cohérence épistémologique de ces preuves et sur la compatibilité des méthodes d'enquête. Globalement, exception faite pour un nombre assez réduit d'auteurs qui soutiennent l'absolue incompatibilité épistémologique entre recherche infantile et psychanalyse, et la non-influence de la première sur la deuxième un accord assez unanime règne aujourd'hui à l'intérieur du monde psychanalytique en une considération positive de la contribution offerte par la recherche infantile. Le problème s'est maintenant déplacé sur la modalité d'intégration de ces contributions, et sur l'équilibre qu'il faut garder pour éviter la double erreur de subsister ou de dénaturer totalement la théorie et la technique psychanalytiques, ou à l'opposé de sous-évaluer la portée innovatrice de la recherche évolutive.

Les mêmes remarques positives et critiques peuvent être faites sur les avancées récentes que propose la théorie de l'attachement. Depuis une quinzaine d'années à la suite des travaux de J. Bowlby, puis de M. Main et de P. Fonagy se développent des études mettant en évidence l'importance de la qualité de l'attachement pour le développement de l'enfant et la formation de la personnalité, ainsi que la fréquence des troubles de l'attachement dans la pathologie psychiatrique. Cette approche est particulièrement importante puisqu'elle permet grâce à des méthodes d'évaluation de la nature de l'attachement qui ont fait la preuve de leur validité, d'objectiver des corrélations entre des troubles psychiatriques et des particularités de l'organisation du lien entre l'enfant et ses objets d'attachement. Elles objectivent également la stabilité du type d'attachement au cours de la vie montrant ainsi la force organisatrice des liens de l'enfance.

3. *Favoriser les recherches qui étudient la continuité des troubles de l'enfance à l'âge adulte*

En particulier la continuité entre

a) dépression et troubles du comportement (hyperactivité, troubles moins spécifiques) dans l'enfance et troubles bipolaires à l'adolescence et à l'âge adulte ;

b) hyperactivité, troubles oppositionnels, troubles des conduites et personnalité psychopathique.

Il conviendrait ainsi de favoriser des études longitudinales explorant les antécédents infantiles et les facteurs de vulnérabilité aux pathologies adultes. Mais il ne s'agira pas forcément de rechercher des facteurs de risque ou des symptômes prémorbides qui sont le plus souvent non spécifiques, mais d'évaluer les structures relationnelles à la base des symptômes. Par exemple :

- Modèle d'attachement de type attachement anxio-évitant prédisposant (sans détermination absolue) à une pathologie anxieuse ou borderline à l'adolescence et à l'âge adulte.
- Dimensions psychopathologiques communes aux conduites addictives.
- Facteurs de risque psychopathologiques dans le suicide.

Parallèlement à cette réflexion sur la continuité des troubles, s'attacher à étudier spécifiquement l'actualité de cette période charnière du développement physique et psychopathologique que constitue la puberté, dans ses dimensions physiologiques et pathologiques. L'importance de l'éclosion des pathologies au décours de la puberté n'est plus à démontrer, en particulier pour ce qui concerne les troubles dépressifs, le suicide, les TCA, la consommation de psychotropes.

II- Aspects méthodologiques de la recherche: quelques priorités

A) Penser aux « exclus » de la recherche

Plusieurs types de recherches doivent être développés pour évaluer l'offre de soins en psychiatrie, pour savoir si elle est adaptée aux individus présentant une souffrance psychique et si, malgré les nombreux dispositifs existant en santé mentale, elle n'exclut pas encore un grand nombre de patients. Le courant d'études issu de la psychologie sociale (Moscovici, 1961; Jodelet, 1989) et de l'anthropologie médicale (Kleinman, 1978; Zempléni, 1985) sur les représentations de la maladie et les théories étiologiques «profanes» (Pédinielli, 1996) ou les modèles explicatifs («*explanatory model*») de la maladie (c'est-à-dire les théories élaborées par le patient face au désordre avec une double dimension de recherche de causes mais aussi de quête de sens) peut apporter une aide dans la compréhension des itinéraires thérapeutiques et dans l'établissement d'une alliance thérapeutique. C'est tout le champ en psychiatrie qui peut servir de modèle à ces recherches.

B) Avoir des objectifs précis en matière de santé publique

Ne pas privilégier uniquement les études scientifiques hyperspécialisées dont les résultats ne sont pas immédiatement applicables.

C) Privilégier les études longitudinales en particulier sur les cohortes de naissance pour une meilleure compréhension de la psychopathologie: investigations prospectives des facteurs de risque et des mécanismes étiopathogéniques.

D) Favoriser les études précisant les évolutions épidémiologiques françaises (évolution séculaire spécifique)

+ Développer des instruments d'évaluation français plutôt que traduire imparfaitement et plus ou moins valider des instruments anglo-saxons sans tenir compte de l'impact socioculturel du rapport radicalement différent à la santé et de l'approche théorique dominante qui infiltre ces échelles (modèle biologique et cognitif).
+ Promouvoir la formation nécessaire aux techniques et instruments de recherche.

E) Mieux utiliser la spécificité française

En France quasiment tous les enfants de 3 ans (90 %) sont scolarisés, ce qui permettrait si les moyens nécessaires étaient alloués, à la mesure de la politique préventive en pédiatrie, un dépistage précoce dans le domaine de la santé mentale.

Au cours des examens de santé obligatoires (effectués majoritairement par les médecins généralistes et parfois par les pédiatres libéraux, les pédiatres de PMI, les infirmières, psychologues et médecins scolaires) une recommandation de dépistage en santé mentale (avec formation et élaboration d'outils) pourrait être formulée.

À ce titre nous pensons que le bilan des 5-6 ans ne doit pas être le dernier examen obligatoire et qu'il ne faut pas remettre en cause (ce qui semble être le cas) des bilans des 10-11 ans (sauf dans les ZEP) et des 15-16 ans. Cette absence d'évaluation systématique à la puberté, moment charnière de la vie, nous semble problématique.

Conclusion

Au sein de la médecine, la psychiatrie se distingue par certaines caractéristiques. Dans la pratique clinique, l'évaluation des troubles psychiatriques est empreinte de plus de subjectivité que l'évaluation des troubles somatiques qui peut être souvent validée par un dosage biologique ou la mesure d'un marqueur fonctionnel.

Les troubles mentaux restent hétérogènes dans leur nature étiopa-thogénique. La question des interactions entre l'environnement, y compris relationnel et affectif, et les facteurs de prédisposition géné-tique est au cœur des débats. D'où l'importance de penser et de maîtriser les réponses environnementales, et de ne pas privilégier à leur détriment des réflexions biologisantes. Le terme de maladie qui sous-entend généralement un mécanisme étiologique établi n'est pas utilisé dans le champ de la psychiatrie infanto-juvénile. L'approche diagnostique catégorielle des classifications actuelles définissant les pathologies ne rend pas toujours compte du continuum de cas inter-médiaires, à la symptomatologie incomplète qui peuvent cependant évoluer vers une affection avérée et sur lesquels la prévention est manifestement importante à mettre en place.

ABSTRACT

The concept of clinical research applied to child and adolescent psy-chiatry is studied with its many implications in terms of models and approaches, specifically the contradiction between psychopatholo-gical and epidemiological approach. The authors plead for «non scientific» research activities, such as comprehensive approaches and case studies which rely on current clinical experience. They fur-ther discuss some methodological problems raised by diagnoses classifications and suggest a composite research model which should concentrate on perspectives and priorities such as longitu-dinal studies, selection of specific objectives related to public health where results could be immediately applied and a better conside-ration given to the French specificity in terms of early detection of mental health problems and epidemiological outcome studies.

Références

Corcos M, Brechon G. Une passion taxinomique. *Perspectives psychiatriques 1996; 35 (4) : 264-273.*

Emde RN. Development terminable and interminable : II. Recent psychoanalytic theory and therapeutic considerations. *Int J PsychoAn* 1988 ; 69 : 283-296.

Emde RN. Mobilizing fundamental modes of development : empathic availability and therapeutic action. *J Am Psychoan Assn* 1990 ; 38(4) : 881-914.

Emde RN. (1981) : Changing models of infancy and the nature of early development : remodeling the foundation. *J Am Psychoan Assn* 1981; 29 : 179-219.

Emde RN. The prerepresentational self and its affective core. *Psychoan St Child* 1983 ; 38 : 165-192.

Expertise collective Inserm (2003) / *Troubles mentaux, dépistage.*

Fajardo B. Conditions for the relevance of infant research to clinical psychoanalysis. *Int J PsychoAn* 1993 ; 74 : 975-991.

Jodelet D. *Les représentations sociales.* Paris : PUF, 1989.

Kleinman A. Concepts and a model for the comparison of medical systems as cultural systems. *Soc Sci Med* 1978; 12 : 85-93.

Lichtenberg JD. Implications for psychoanalytic theory of research on the neonate. *Int Rev PsychoAn* 1981 ; 8 : 35-52.

Moscovici S. *La psychanalyse, son image et son public.* Paris : PUF, 1961.

Pedinielli JL. Les théories étiologiques des malades. *Psychologie Française* 1996; 41-2, 137-145.

Stern D. *Le monde interpersonnel du nourrisson.* Paris : PUF, 1985.

Widlocher D. *Les nouvelles cartes de la psychanalyse.* Paris : Odile Jacob, 1996.

Zempleni A. La «maladie» et ses «causes». Introduction. *L' Ethnographie* 1985 ; 82(2).

prisme
PRISME
prisme
prisme
prisme
PRISME
n° 42

Recherche et clinique, un arrimage possible

Isabel Fortier

La perception des chercheurs par les intervenants cliniques, comme la perception des intervenants cliniques par les chercheurs, est souvent entachée de préjugés. Cette perception n'est parfois pas justifiée, mais est aussi parfois basée sur des expériences concrètes d'échanges infructueux. La mise en place d'une collaboration entre chercheurs et intervenants cliniques est certainement possible. Leurs expertises sont généralement complémentaires et leur collaboration peut créer un environnement multidisciplinaire particulièrement favorable à la mise en œuvre de projets de recherche de qualité menant à des retombées réelles pour les patients. Tant l'avancement des connaissances scientifiques que l'amélioration des pratiques cliniques pourront tirer profit de cette collaboration. Cependant, l'arrimage peut être difficile en raison, entre autres, des difficultés inhérentes à n'importe quel travail d'équipe et des différences importantes entre les contextes de travail en milieux académique et clinique.

La composition d'une équipe de recherche clinique peut être très variable selon le contexte. Des intervenants cliniques (médecins, psychologues, infirmières, ergothérapeutes, etc.) peuvent collaborer en facilitant le recrutement de sujets ou en acceptant de compléter des questionnaires. D'autres, pour leur part, auront une implication directe dans les aspects scientifiques, ou dirigeront leurs propres projets en tant que cliniciens/chercheurs. L'analogie est présente avec les chercheurs Ph.D. (biochimistes, généticiens, épidémiologistes, etc.), qui peuvent mener leurs propres projets de recherche clinique ou encore, s'impliquer de façon ponctuelle comme consultant, en

Docteur en épidémiologie, l'auteure est chercheure au Centre de recherche de l'Hôpital Sainte-Justine et chef de l'équipe recherche et surveillance, Équipe santé au travail et environnementale, à la Direction de la santé publique Montréal-Centre.
Adresse : 1301, rue Sherbrooke Est Montréal (Québec) H2L 1M3
Courriel : ifortier@santepub-mtl.qc.ca

98

accordant un accès à leur laboratoire ou en effectuant certaines analyses spécifiques.

Recherche et clinique : deux perspectives

Regrouper des individus dans le but de réaliser un projet est toujours un défi. Dans le cadre de projets de recherche clinique, des difficultés particulières sont rencontrées pour concilier les exigences entre les demandes cliniques et académiques. Pour le chercheur, la possibilité de poursuivre ses activités et payer le personnel de son équipe repose sur l'obtention de fonds de recherche. L'octroi de ces fonds est généralement limité et basé sur la qualité des demandes et la performance en recherche, cette dernière étant évaluée en fonction du nombre de publications scientifiques et de l'importance des subventions obtenues. L'intervenant clinique, pour sa part, a des responsabilités immédiates face aux actes cliniques qu'il pose. Les patients doivent être traités et suivis adéquatement, avoir des réponses à leurs questions, et ce, dans un contexte où les tâches administratives sont lourdes, le nombre de patients à traiter important et les ressources très limitées. Enfin, le clinicien/ chercheur porte deux chapeaux. Il fait face à des exigences de performance tant clinique que de recherche. À moins que ses conditions de travail soient très favorables, ce dernier risque d'avoir du mal à concilier les deux.

Un large débat visant à définir la recherche clinique existe actuellement. Est-ce que toute recherche qui aura directement, indirectement et même très indirectement un impact clinique peut être définie comme de la recherche clinique? Faut-il que la recherche implique un groupe de patients spécifique pour être considérée comme de la recherche clinique? Est-ce qu'un chercheur qui travaille sur des cellules de souris et dont les conclusions de recherche mèneront éventuellement à l'amélioration d'un traitement chez l'humain fait de la recherche clinique? D'autre part, est-ce qu'une activité clinique au cours de laquelle des informations sont systématiquement recueillies dans une banque de données peut être qualifiée d'activité de recherche? Ce débat est toujours en cours et est loin d'être terminé. Dans un esprit d'ouverture, une définition large de la recherche clinique devrait probablement être favorisée. Cependant, cette définition peut avoir un impact majeur et causer d'importantes frustrations lorsque l'allocation de ressources ou l'obtention de fonds de recherche est en jeu. Il peut être difficile pour un comité d'octroi de fonds de comparer adéquatement des projets visant des axes de recherche éloignés. En parallèle au débat sur la définition de la recherche clinique, il semble important de poursuivre les discussions sur le développement de structures facilitant l'intégration des activités cliniques et académiques. Il est important de favoriser une collaboration permettant de donner une orientation plus clinique à certaines activités de recherche et d'assurer une mise en application clinique réelle des connaissances acquises via les projets de recherche.

Étapes clefs d'un projet de recherche clinique
1. Initiation du projet de recherche clinique

L'idée initiale d'un projet de recherche peut émerger de contextes très variés. La question posée peut découler de lectures scientifiques, d'observations générées par d'autres projets de recherche ou de problèmes rencontrés dans un cadre de pratique clinique. Selon le contexte, le projet aura donc une teinte très clinique (p. ex. évaluation d'un mode de traitement ou d'un outil diagnostique) ou plus fondamentale (p. ex. développement d'un test de dépistage génétique). Cependant, quelle qu'en soit l'orientation ou l'ampleur, le succès de l'implantation d'un projet repose principalement sur trois facteurs, soit 1) la qualité de la question de recherche, 2) le choix des collaborateurs, 3) l'implication du milieu d'accueil.

Qualité de la question de recherche: L'impact clinique et scientifique d'un projet dépend de la question posée et du protocole mis en place pour y répondre. Une mauvaise question entraînera obligatoirement de mauvaises réponses et a peu de chances d'être subventionnée. Les objectifs doivent donc être précis et réalistes et il est essentiel de définir dès le départ les limites et les retombées du projet. Des attentes se créent facilement avec la mise en place d'une nouvelle étude. On voudrait toujours en faire un peu plus, et encore un peu plus. On est tenté d'ajouter des sous-objectifs pour répondre aux questionnements des différents collaborateurs. Cependant, cet ajout, s'il est possible, doit être planifié avec rigueur. Le financement d'un projet est généralement serré et ne peut permettre de répondre adéquatement qu'à un nombre très limité de questions.

Choix des collaborateurs ; Dès l'amorce du projet, l'investigateur principal a intérêt à s'associer à quelques collaborateurs ayant des compétences complémentaires aux siennes. Il est souvent utile de pouvoir confronter plusieurs points de vue pour assurer une base solide à un projet. Les discussions permettront par exemple, de clarifier les objectifs de recherche, d'en évaluer la faisabilité sur le terrain, d'identifier les meilleurs outils de mesure et de faire un choix judicieux de devis de recherche. La réalisation du projet sera cependant assurée par l'implication active d'un noyau relativement restreint de collaborateurs; les co-investigateurs. Les collaborateurs externes auront pour leur part, une implication ponctuelle. Le choix des co-investigateurs devrait reposer sur leurs compétences, leur accès à certaines infrastructures (p. ex. laboratoire ou clinique spécialisés), mais également sur leur personnalité. On amorce ici un «contrat de collaboration» qui pourra se prolonger plusieurs années. Le choix des co-investigateurs est particulièrement important.

Idéalement, les co-investigateurs devraient éprouver de la facilité à travailler en équipe. Un groupe de recherche est formé de personnes ayant leurs tempéraments, leurs points de vue, leurs préjugés, leurs attentes et leurs intérêts respectifs. Comme dans tout groupe de travail, il est difficile de créer le climat de confiance, de transparence et d'ouverture permettant de favoriser l'avancement d'un projet. Chacun doit s'impliquer, mais également se sentir reconnu et reconnaître l'apport de ses collaborateurs. Le travail d'un groupe de recherche se fait généralement dans un contexte où les co-investigateurs ont très peu de temps à accorder au projet, en raison de leurs nombreux engagements et des exigences quotidiennes de leurs milieux de travail respectifs. Il est donc essentiel de s'assurer qu'ils aient le temps et la motivation leur permettant de s'impliquer dans le projet. Enfin, le rôle et les responsabilités de chaque collabo-rateur (co-investigateurs et collaborateurs externes) ont avantage à être précisés très rapidement. Beaucoup de tensions peuvent être associées à une mauvaise compréhension des attentes ou des engagements respectifs. Quelle sera la participation de chacun dans la rédaction de la demande de subvention? Qui prendra le temps de la relire et de faire des commentaires? Qui sera responsable du recrutement des patients? Qui supervisera la cueillette d'information? Mais également, quelles seront les retombées (financement, propriété intellectuelle, désignation comme auteur, etc.) pour chaque collaborateur?

Implication du milieu d'accueil: Le milieu d'accueil peut faciliter ou compliquer l'émergence d'un projet, et c'est particulièrement vrai dans le cas de projets de recherche clinique où, tant le milieu de recherche (université, centre de recherche, etc.) que le milieu clinique devront donner leur appui à la tenue du projet. L'arrimage des activités cliniques et de recherche dépend de l'ouverture des milieux d'accueil (institutions et individus). L'ouverture des institutions d'accueil peut se traduire par un support financier, mais également par du temps accordé aux professionnels pour participer aux activités de recherche, par l'accès à des locaux, l'accès à des bases de données, l'accès à des laboratoires de recherche ou à des infrastructures cliniques (laboratoires, centre de prélèvement, échographie, etc.). Le milieu d'accueil pourra, par exemple, jouer un rôle majeur dans l'initiation d'une étude d'envergure en apportant son support financier à un projet pilote. Il est souvent utile d'obtenir des résultats préliminaires avant de déposer une demande de subvention afin de permettre d'évaluer la faisabilité du protocole de recherche, de préciser les objectifs ou d'évaluer la validité des instruments de mesure.

Les différents intervenants interpellés doivent aussi manifester un intérêt pour le projet. Si, par exemple, certains intervenants cliniques sentent leur mode de fonctionnement menacé par l'implantation d'un projet de recherche ou encore, s'ils n'en voient pas l'utilité pour leur pratique, la mise en place du projet risque d'être difficile.

2. Rédaction de la demande de subvention

L'investigateur principal d'une demande joue généralement un rôle de chef d'orchestre, mais chaque co-investigateur devrait avoir un apport, soit par la rédaction de la section concernant son champ de compétences ou par la critique de la demande. Cet apport est utile tant pour assurer la qualité et la crédibilité de la demande que pour créer un esprit de collaboration. Certains projets sont retardés ou même avortés suite à leur financement, simplement parce que des aspects de la demande n'étaient pas réalistes, problème qui aurait trop souvent pu être évité par une lecture attentive d'un spécialiste de la question.

Pour illustrer cette situation, certains intervenants cliniques ont tendance à venir consulter les statisticiens ou les épidémiologistes tard dans leur processus de réflexion en demandant, par exemple, de rédiger à très court terme la partie statistique d'une demande de subvention. Le plan d'analyse est lié au choix du type d'étude, aux instruments de mesure, à la population visée et au choix de chacune des variables étudiées. Quels seront les questionnaires et les outils de mesure? Quand et à combien de reprises seront-il administrés? Doit-on vérifier leur validité? Quelles sont les variables ciblées? Les données générées seront-elles continues ou dichotomiques et un indice combinant plusieurs variables devra-t-il être construit? Ces questions, comme tant d'autres qui se posent au cours du développement d'un projet, ne peuvent trouver une réponse adéquate en quelques minutes.

On peut également citer l'exemple malheureux de chercheurs qui contactent pour la première fois des intervenants cliniques avec en main un projet déjà subventionné. Il est essentiel d'évaluer la faisabilité de l'arrimage avec les activités cliniques avant de soumettre une demande. La cueillette d'information de recherche (compléter des questionnaires, faire signer des formulaires de consentement ou effectuer des évaluations supplémentaires) demande du temps supplémentaire de travail de la part des professionnels de la santé. Leur charge étant déjà très lourde, il faut planifier l'obtention des ressources dont ils auront besoin. De plus, très souvent, l'inclusion d'aspects d'intervention clinique à un projet aurait pu le bonifier et permettre des retombées plus concrètes. Par exemple, il peut s'avérer avantageux d'inclure un questionnaire sur le fonctionnement de la famille ou l'estime de soi à une étude portant sur l'impact des caractéristiques génétiques sur l'évolution des symptômes. Les résultats générés pourraient alors permettre aux psychologues impliqués de mieux cibler leurs interventions.

3. Recueil d'informations

Qu'est-ce que des données de recherche et en quoi sont-elles différentes des données cliniques? Une information clinique peut être particulièrement pertinente pour le diagnostic ou le traitement d'un patient sans pouvoir être utilisée dans le cadre d'un projet de recherche donné. Selon la même logique, certaines données de recherche n'auront aucun intérêt direct dans le cadre d'activités cliniques. Il est donc essentiel, avant de débuter la cueillette d'informations, d'identifier quelles seront les données utilisées à des fins de recherche. Ces dernières devront être recueillies de façon standardisée et être codifiées pour permettre l'analyse statistique.

La distinction entre données cliniques et de recherche peut paraître évidente au premier abord mais elle est souvent loin de l'être et peut être source d'incompréhensions et même de tensions, si un financement ou du temps de travail est en jeu. Dans de nombreux projets, le recueil de l'information se fait en marge des activités cliniques habituelles et est financé à partir d'un budget distinct, mais ce n'est pas toujours le cas. Souvent, les données cliniques et de recherche sont recueillies de façon simultanée (par exemple, lors du suivi médical) ou les données de recherche sont extraites des dossiers médicaux. La standardisation de l'information devient alors parfois difficile.

Pour être utilisée dans un cadre de recherche, il est essentiel que l'information (symptômes, antécédents médicaux, habitudes de vie) soit demandée pour l'ensemble des sujets de l'étude et ce, de façon standardisée, c'est-à-dire selon le même format afin d'être codifiée. Le recueil d'information de recherche à partir de commentaires cliniques peut donc s'avérer problématique. Par exemple, dans une revue de dossiers médicaux, il est souvent difficile de savoir si l'absence d'information équivaut à l'absence du facteur ciblé. De plus, les critères utilisés par les intervenants pour juger de la présence ou non du facteur peuvent être variables. Si la cueillette d'information n'est pas systématique et planifiée avec rigueur, les résultats de l'analyse statistique seront biaisés. L'impact de ce biais sur les conclusions de l'étude peut facilement être majeur. Il sera toujours possible de faire un test et d'obtenir une réponse statistique. Mais quelle sera la valeur de ces résultats?

4. Analyse des résultats de recherche

Si les étapes précédentes ont été réalisées dans un contexte harmonieux et rigoureux, cette étape ne devrait pas susciter de problèmes majeurs. Naturellement, le risque qu'un des collaborateurs s'approprie l'analyse des données et éloigne ses collègues demeure possible et n'est pas admissible. D'un autre côté, les co-investigateurs devraient maintenir une implication scientifique à cette étape du projet. L'apport de chacun est important et la confrontation des idées est un atout dans l'interprétation des résultats et l'orientation de l'analyse de données.

5. Rédaction d'articles scientifiques

Problèmes à l'horizon! Qui sera le premier auteur? Quels noms seront mentionnés comme auteurs? Qui ira au congrès en Australie? On parle ici de la reconnaissance de plusieurs mois de travail et chacun doit être reconnu à la juste mesure de son implication dans le projet. Ceci, tenant compte que certains collaborateurs ont eu un apport majeur et constant, tandis que d'autres, une implication ponctuelle. Le choix des auteurs et l'ordre d'apparition des noms doivent idéalement être discutés avant la rédaction. Cette démarche devrait se faire dans la transparence. L'évaluation de la performance de recherche repose en grande partie sur l'importance des publications et particulièrement sur les publications en tant que premier auteur, ce qui explique une bonne partie des tensions qui découlent des collaborations de recherche. La rédaction d'un article est une activité qui demande un investissement important en énergie, en temps et en réflexion. Comme l'apport scientifique réel des auteurs est difficilement perceptible, voire crédible lorsque 10 à 15 noms sont mentionnés, il est de plus en plus souvent recommandé par les revues scientifiques que les auteurs soient les personnes ayant apporté une réelle contribution.

6. Transfert des connaissances

Trop souvent, suite à la rédaction des articles, les co-investigateurs considèrent leur travail comme accompli. Cependant, il est essentiel de transférer les connaissances acquises au milieu clinique pour que les patients puissent bénéficier de retombées réelles. Il est relativement simple de présenter les conclusions de la recherche aux intervenants impliqués dans le projet ou d'écrire un article de vulgarisation. L'intégration des conclusions du projet à la pratique clinique est beaucoup plus difficile. Les conclusions d'un projet, même si elles justifient une modification de la pratique, ne répondront que partiellement aux problématiques vécues par les intervenants. Ces derniers ont souvent des réticences à modifier leur mode de pratique, n'en voient pas nécessairement l'utilité ou ont souvent peu de temps à y accorder.

Comment les participants perçoivent-ils la recherche clinique?

Si le protocole de recherche est bien construit, les patients seront souvent intéressés à participer à un projet de recherche. On peut donner l'exemple d'essais cliniques où le patient se voit attribué au hasard, soit un traitement de base ou un nouveau traitement (théoriquement avantageux). Quel que soit le traitement alors attribué, le suivi sera serré et les services dispensés en seront potentiellement améliorés. Dans un autre contexte, le patient peut par exemple avoir accès à une évaluation plus complète de son état de santé. Il est alors important, dans la mesure du possible, d'offrir un retour d'information aux participants d'une étude. Si un test de dépistage est effectué, il faudrait prévoir les ressources nécessaires au retour du résultat du test au participant.

Les participants peuvent s'impliquer dans un projet en raison de retombées pour eux-mêmes ou pour un membre de leur famille proche. Mais un grand nombre d'entre eux s'impliquent uniquement pour apporter leur aide, sans en retirer de bénéfice direct. Quelle que soit leur motivation, ces personnes constituent la base de tout projet de recherche et méritent, en plus de notre reconnaissance, un engagement de notre part à conduire une recherche de qualité.

Conclusion

On parle beaucoup de la pratique de la médecine basée sur des données probantes ou «*Evidence based medicine*», donc, une pratique de la médecine qui se base sur des observations précises, valides et qui est réalisée de façon standardisée. Pour arriver à ce type de pratique, l'arrimage entre la recherche et la clinique est essentiel. Par exemple, la meilleure connaissance des caractéristiques génétiques associées au développement de la sclérose latérale amyotrophique a permis de raffiner les critères diagnostiques et d'avoir une idée plus précise du pronostic des enfants dépistés durant la grossesse. Ces connaissances ont eu un impact majeur sur les familles, que ce soit pour les aider dans leur prise de décision d'interrompre ou non la grossesse ou pour leur donner une meilleure connaissance de la qualité de vie attendue à long terme dans le cas de leur enfant.

Dans plusieurs milieux, comme dans un hôpital universitaire, idéalement, intervenants cliniques, cliniciens/chercheurs et chercheurs auraient avantage à poser des gestes concrets pour permettre l'intégration de leurs activités. C'est souvent, mais pas toujours réalisable. De nombreux obstacles peuvent parfois être rencontrés. Pourtant, tant l'avancement des connaissances scientifiques que l'amélioration des pratiques auprès des patients trouve avantage à cette collaboration. Les problèmes de santé étudiés, leurs causes et leurs traitements sont complexes, et ce, particulièrement en pédopsychiatrie, et l'étude de ces problèmes peut certainement bénéficier d'une réflexion commune entre médecins, psychologues, généticiens, infirmières, épidémiologistes, ergothérapeutes et autres. Il est évident que pour réussir cet arrimage, il est nécessaire d'avoir du temps, des infrastructures permettant de confronter nos réalités et nos idées et une ouverture des milieux d'accueil. Finalement, à la question «Est-ce qu'un arrimage est possible entre la recherche et la clinique?», je répondrais qu'il repose d'abord sur des individus. Il appartient à ces individus de faire de la recherche clinique une réalité possible.

ABSTRACT

In the context of evidence based medicine, cooperation between researchers and clinicians is particularly important and teamwork has become a crucial issue in clinical research. The author reviews the key steps of a clinical research process and discusses both benefits and potential roadblocks that could either jeopardize the process or turn to its best advantage and have a significant impact both clinically and scientifically on the problem at stake.

prisme
prisme
PRISME
p r i s m e
prisme
p r i s m e
PRISME
n° 42

Le rapprochement des chercheurs et des cliniciens pour le transfert des connaissances:
l'expérience du Centre jeunesse de Québec - Institut universitaire

Richard Cloutier
Gaby Carrier
Daniel Turcotte

Richard Cloutier est psychologue du développement et professeur titulaire à l'École de psychologie de l'Université Laval.
Gaby Carrier est coordonnatrice du groupe scientifique au Centre jeunesse de Québec, Institut universitaire, et Daniel Turcotte est professeur titulaire à l'école de service social de l'Université Laval et directeur scientifique du CJQ-IU.

Adresse : Pavillon Félix-Antoine Savard
Québec (Québec) G1K 7P4

Courriel :
Richard.Cloutier@psyulaval.ca

La connaissance apparaît de plus en plus comme le nouveau pouvoir et aucune zone d'activité humaine n'y échappe, qu'il s'agisse de santé, d'éducation, d'environnement, de culture, de production industrielle, de communication, de politique ou de défense nationale. Dans la foulée de la mondialisation portée par l'«économie du savoir», la disponibilité des connaissances est de plus en plus identifiée comme un moteur de développement et comme la base de la compétitivité pour les organisations. À l'échelle des collectivités, le développement se mesure à l'aulne de la maîtrise des connaissances pour le bénéfice des citoyens, alors que les indices de sous-développement se maintiennent en étroite relation avec le déficit de connaissances (analphabétisme, carences technologiques, etc.). À l'échelle individuelle, la quantité de connaissances requise pour exercer une participation sociale autonome augmente sans cesse; l'univers qu'un jeune de vingt ans doit connaître aujourd'hui pour se faire une place sociale de qualité normale est beaucoup plus grand que celui que son grand-père devait connaître. Ceux qui sortent de l'école sans diplôme sont les plus à risque de vivre dans la pauvreté et l'inadaptation psychosociale[1] par la suite.

La valeur du savoir

La reconnaissance de la valeur du savoir ne date pas d'hier puisque depuis des siècles, l'agronomie, la médecine, la pharmacie, l'architecture ou l'ingénierie ont conservé un statut important dans l'échelle des contributions sociales. Toute l'histoire des universités reflète cette conscience de la valeur du savoir. Cependant, ce n'est que récemment que des stratégies explicites ont émergé pour démocratiser et maximiser les retombées du pouvoir de la connaissance. La nouvelle politique scientifique du Québec est un exemple convaincant de progrès dans cette voie. De plus en plus clairement, les gouvernements considèrent la capacité de « recherche et

108

RÉSUMÉ

Dans une logique de « Recherche & Développement », le transfert des connaissances tient une place importante comme générateur de nouvelles pratiques et de nouvelles technologies. Bien que les modèles de transfert dits linéaires, bidirectionnels ou coopératifs soient pertinents pour la diffusion des connaissances, les auteurs avancent que le transfert dit «coopératif» est celui qui permet de mieux répondre aux besoins des milieux d'intervention. La participation des intervenants aux diverses étapes de la recherche de même que l'intégration de chercheurs à des activités de réflexion clinique sont des stratégies qui permettent le rapprochement des cultures de recherche et d'intervention, tel que le démontre l'expérience du Centre jeunesse de Québec, Institut universitaire, présentée ici. Les intervenants et gestionnaires se sont appropriés la logique évaluative dans leurs opérations alors que les chercheurs ont reconnu l'importance d'être sensibilisés aux questionnements des milieux par rapport à leurs objets de recherche et aux conditions de réalisation de leur recherche sur le terrain. En rapprochant chercheurs et cliniciens à toutes les étapes de la recherche, le développement des connaissances et des pratiques en sort gagnant, mais ceci ne va pas sans une bonne dose de tolérance et d'adaptation de part et d'autre.

développement » comme un important moteur de progrès et les efforts financiers canadiens et québécois déployés depuis dix ans pour renforcer la capacité de recherche reflètent cette conviction, même dans un contexte budgétaire parfois défavorable.

Non seulement le transfert des connaissances a-t-il gagné sa place dans la conception du développement, mais il est devenu une zone d'expertise scientifique, notamment sous l'impulsion d'organismes qui consacrent une partie ou la totalité de leurs activités à stimuler l'innovation et le transfert des connaissances (exemples : la Fondation Canadienne pour l'Innovation [FCI], Valorisation–Recherche Québec [VRQ], les Centres de liaison et de transfert [CLT], les Centres collégiaux de transfert et de technologie [CCTT], les Instituts Universitaires, les Alliances de recherche université — communauté [ARUC]). De plus en plus explicitement, les organismes qui financent la recherche proposent des programmes qui encadrent les thèmes de recherche et qui exigent des chercheurs la démonstration de l'utilité de leurs travaux. Le soutien financier à la recherche est de plus en plus

« orienté » ou « ciblé » de sorte que bon nombre d'universitaires ont le sentiment que l'on enferme la science dans une logique de production industrielle où l'économie de marché est le modèle utilisé pour déterminer les priorités. Cet « utilitarisme » est souvent décrié et il est perçu comme menaçant pour la recherche fondamentale dont les produits ne sont pas immédiatement utiles mais qui assurent les progrès scientifiques à plus long terme. Cette canalisation des efforts, considérée comme du dirigisme par certains, semble pourtant être là pour rester, l'effort public et privé de recherche étant clairement considéré comme un levier socio-économique.

Les enjeux économiques des nouveaux savoirs ont aussi favorisé l'apparition de nouveaux lieux de production des connaissances de sorte que la dominance des universités est remise en question dans plusieurs secteurs à forte valeur ajoutée, comme les technologies de l'information, le domaine biomédical, l'ingénierie, etc. Les entreprises multinationales, qui investissent des sommes importantes dans la recherche et le développement de nouveaux produits, s'estiment ensuite en droit de dicter leurs prix aux marchés que leurs brevets leur réservent. Cette logique de connaissances «produits» que l'on peut commercialiser caractérise le monde de l'invention et des brevets. Cela n'est pas toujours compatible avec la mission des universités qui est de promouvoir l'accès aux connaissances à travers les programmes de formation, en même temps que la recherche. Cette obligation de formation, les entreprises privées de recherche et développement n'y sont pas tenues, ce qui peut être considéré comme un avantage de compétitivité de recherche pour elles. La formation consomme beaucoup d'énergie et ne rapporte pas nécessairement sur le plan de la recherche et du développement à court terme. De leur côté, pour des raisons financières toujours, les universités sont de plus en plus activement incitées à commercialiser leurs connaissances, en cherchant à breveter les découvertes et en entourant de plus de soin la « propriété intellectuelle ». Là où les universités et les firmes privées impliquées dans le développement des connaissances se rejoignent, c'est dans leur besoin partagé de trouver des stratégies efficaces de gestion des connaissances. Que l'on participe à une vision de connaissances «produits», «propriétés» ou que l'on refuse une telle vision parce qu'elle enferme l'univers du savoir dans une logique capitaliste dangereuse, la question du rapport entre le développement et l'utilisation des connaissances est une préoccupation partagée et les universités y sont des joueurs de premier plan (AUCC, 2002).

Dans une logique de « recherche et développement » (*R & D*), la connaissance la plus géniale n'a pas beaucoup de valeur si elle ne sert à rien, si elle n'est pas utile à améliorer quelque chose. La pertinence du savoir pour la résolution de problèmes est souvent le premier critère de financement de l'effort de recherche, ce qui nous éloigne considérablement de l'esprit de la « recherche libre ». La recherche en partenariat reliant les chercheurs et les intervenants des milieux dans une entreprise commune est souvent considérée comme une génératrice importante d'initiatives de mobilisation des connaissances, en raison des arrimages qu'elle garantit dans la recherche commune de solutions à des problèmes partagés et dans la reconnaissance mutuelle des contributions réciproques actualisées dans un cadre négocié de partage des ressources et des pouvoirs (Clément et coll., 1995; Landry et Gagnon, 1999; Pouliot, Mireault et Paquet, 2003). Cette interaction nécessaire dont est porteuse la recherche en partenariat, ouvrira notre traitement du transfert des connaissances aux rôles joués par les acteurs, c'est-à-dire notamment les chercheurs et les praticiens utilisateurs.

Le transfert des connaissances

Le transfert des connaissances implique un mouvement d'information d'un lieu à un autre. C'est le phénomène par lequel les progrès obtenus à travers l'apprentissage d'une certaine forme d'activité entraînent une amélioration dans l'exercice d'une activité différente, plus ou moins voisine[2].

En anglais, la notion de *transfert de recherche (research transfer)* est souvent utilisée comme concept analogue, pour désigner le « processus par lequel de l'information de recherche est rendue disponible pour la pratique, la planification et le développement des politiques par le biais d'interactions menées auprès d'auditoires sur la base de matériel et de stratégies de communication appropriés[3] ». On utilise aussi l'expression *mobilisation des connaissances (knowledge mobilization)* pour rendre l'idée du transfert des connaissances, ce qui enlève la contrainte de la direction présente dans le transfert : la mobilisation de la connaissance peut se faire dans n'importe quelle direction, alors que le transfert implique le passage d'un point à un autre, ce qui nécessite une direction, un sens. Dans la réflexion qui suit, nous emploierons le terme *transfert* parce qu'il demeure le plus couramment utilisé et aussi parce que la direction de l'information possède une pertinence quant au rôle joué par les acteurs. Nonobstant la reconnaissance de plusieurs types d'acteurs maintenant impliqués dans ce champ en forte émergence, comme les chargés de transfert, aussi appelés *courtiers de connaissances (knowledge brokers* — Breton et coll., 2002), les centres de liaison (CLIPP, 2003), les enseignants qui ne font pas de recherche, les vigies scientifiques, etc., notre discussion du transfert des connaissances fera plus souvent appel aux rôles de chercheur et d'intervenant, le premier étant souvent considéré comme responsable du transfert de ses résultats, et le second étant souvent associé aux praticiens qui distribuent les services à la population.

Différentes représentations existent du développement et du transfert des connaissances en fonction des contextes, des objets de transfert ou de la dynamique d'échange qui est mise en place. Sans en faire l'inventaire ici, nous regroupons ces représentations en trois catégories : le modèle linéaire, le modèle bidirectionnel et le modèle coopératif.

Le modèle linéaire de transfert des connaissances

Le *modèle linéaire* de transfert renvoie au déplacement de l'information dans une seule direction donnée, depuis la source vers sa cible. C'est la représentation traditionnelle du transfert des connaissances avec la diffusion comme assise du processus. Typiquement, c'est le

Figure 1

Schéma du modèle linéaire de transfert des connaissances

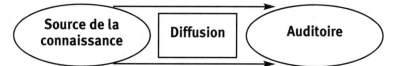

chercheur (le générateur des connaissances) qui est imputable de la diffusion de ses résultats vers la communauté scientifique ou vers les zones de pratique où ses idées ont une pertinence. Plusieurs moyens de diffusion peuvent être employés comme par exemple des articles scientifiques, des livres, des communications publiques. La figure 1 schématise ce modèle. De nombreux travaux ont été réalisés afin de mieux comprendre le processus de diffusion en termes de ce qui doit être dit, par qui, dans quel but, comment, par quel médium, dans quel contexte, etc.

Le mode linéaire demeure probablement le plus répandu puisqu'il se trouve à la base de la littérature, des médias filmés ou parlés, à la base des divers systèmes d'éducation et de la plupart des activités scientifiques ayant cours tels que congrès ou colloques.

Le fait d'assimiler ce premier modèle de transfert des connaissances à l'approche universitaire traditionnelle ne doit pas servir de prétexte à le dévaloriser ou à présenter la recherche fondamentale comme désuète. Libérée des contraintes utilitaires et guidée par les questions que pose l'évolution scientifique, la recherche fondamentale est certainement au cœur des plus grands progrès humains. C'est justement ce qui fait craindre à bon nombre d'universitaires que la prédominance actuelle de la recherche « orientée » détourne l'université de sa mission universelle au profit d'intérêts locaux et à court terme.

Le modèle bidirectionnel de transfert des connaissances

Le deuxième modèle de transfert des connaissances est schématisé à la figure 2. Il se distingue du modèle linéaire par l'ajout d'une direction supplémentaire dans le mouvement de l'information, celle qui va de l'utilisateur vers le producteur de la connaissance.

Figure 2
Schéma du modèle bidirectionnel de transfert des connaissances

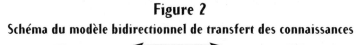

Dans ce processus, l'utilisateur de la connaissance possède un droit de parole dans la définition des objets de recherche. Les activités de transfert ne gravitent plus autour d'une seule source des connaissances mais de plusieurs : les intervenants utilisateurs des connaissances y participent aussi, comme source, afin que les « générateurs » comprennent les problèmes rencontrés sur le terrain et maîtrisent les paramètres contextuels de leur apparition. C'est à ce moment que les langages respectifs doivent se rencontrer, que les façons de pondérer l'importance des choses doivent trouver un terrain commun, que les acteurs doivent s'accommoder les uns des autres.

Dans ce modèle bidirectionnel, les acteurs conservent leurs rôles respectifs : les chercheurs continuent de développer des connaissances et les praticiens continuent de les utiliser et leur droit de parole dans la définition des objets de recherche n'en fait pas des chercheurs pour autant. Il faut passer au mode suivant pour que les rôles puissent vraiment s'interpénétrer.

Le modèle coopératif de transfert des connaissances

Le troisième modèle de transfert des connaissances est caractérisé par la « coopération » entre les différents acteurs, les rôles de générateurs et de consommateurs de connaissances étant partagés par les différents partenaires. À la façon des équipes multidisciplinaires où les partenaires conservent leur identité disciplinaire mais travaillent sur les mêmes objets, dans le modèle coopératif, la « génération » des connaissances est partagée par tous les partenaires qui approchent cette fonction avec leurs expertises particulières. Il en va de même pour la fonction *diffusion / transfert* où l'information voyage dans tous les sens sans égard aux statuts professionnels des acteurs. Tel que proposé par Proulx (2002), ceux-ci deviennent des «interacteurs», c'est-à-dire des acteurs qui interagissent dans un même projet en partageant les mêmes buts à l'égard du même projet, sans pour autant perdre leur identité, leur capacité particulière à générer, conserver ou transférer les connaissances disponibles. La figure 3 constitue une tentative de schématiser ce modèle coopératif.

Figure 3
Schéma du modèle co-opératif de transfert des connaissances

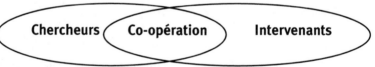

Ainsi, les frontières de rôles sont abaissées dans le système de gestion des connaissances, même si, dans la pratique, ces frontières ne disparaissent pas complètement. Ce troisième modèle peut amener, par exemple, des chercheurs universitaires à travailler sur le terrain à tester des méthodes d'interventions nouvelles, en coopération avec des praticiens qui font la même chose qu'eux, chacun y amenant la contribution que ses acquis lui permettent de fournir au projet. Ce modèle peut aussi amener les intervenants à formaliser leur expertise en vue de son transfert vers la communauté scientifique ou professionnelle. « Si seulement nous savions ce que nous connaissons », disent O'Dell, Jackson–Grayson et Essaides (1998) en référence à l'absence de stratégies d'identification, de formalisation et de conservation des expertises extraordinaires qu'ont développées les intervenants sur le terrain au fil des ans et qui s'en vont avec eux lorsqu'ils partent à la retraite. L'exploitation de cet immense réservoir de connaissances implicites des praticiens, en mettant à profit l'expertise que possèdent les universitaires dans la formalisation, est encore très embryonnaire, mais il s'agit d'un cadre privilégié d'application de ce troisième modèle de transfert des connaissances. Pour favoriser cette synergie entre les connaissances que possèdent les intervenants et les résultats de recherche et déboucher sur des pratiques plus efficientes, Nonaka et Takeuchi (1997) voient quatre conditions :

◁ Le maillage des savoirs entre acteurs
◁ L'articulation de ces savoirs (les rendre explicites et les encoder pour conservation)
◁ La coproduction de nouvelles idées façonnées par l'interaction
◁ L'intégration de ces nouveaux savoirs dans l'intervention ou les opérations.

Dede (2002) affirme que le transfert des connaissances doit viser non seulement l'adoption de nouvelles pratiques mais leur adaptation, par appropriation, au contexte de leur utilisation. Beaudoin et Laquerre (2001) vont dans le même sens : il ne s'agit pas de la simple transposition de nouvelles informations vers les acteurs de la pratique ou de la recherche et de l'enseignement universitaire, mais de leur appropriation par ces différents acteurs, quitte à ce qu'elles soient modifiées afin d'en augmenter le synchronisme avec les besoins. Ce troisième modèle de transfert, le plus sophistiqué et le plus compromettant, n'est pas toujours essentiel au partage des savoirs mais il ressort comme le plus puissant pour l'avancement des pratiques.

Des obstacles qui subsistent

Ces trois modèles ne sont jamais rencontrés à l'état pur dans la réalité, chacun chevauchant l'autre jusqu'à un certain point. Même si le modèle linéaire conserve sa valeur et peut-être aussi sa prédominance, l'interaction multidirectionnelle entre la recherche et la pratique a connu une évolution considérable au cours des dernières années sous l'impulsion de la prise de conscience du paradoxe existant entre la valeur des connaissances, d'une part, et la faiblesse des stratégies pour la mettre à profit, d'autre part (Gélinas, 1990, 2002; Sveiby, 1997; Zack, 1999). Mais il ne suffit pas de souhaiter cette interaction pour qu'elle se produise instantanément; au-delà des bonnes intentions, les obstacles demeurent bien réels. En voici quelques exemples :

◄ Différences de culture entre utilisateurs et chercheurs rendant la communication difficile

◄ Perte d'intérêt du monde de la pratique, due à la longueur du processus de recherche

◄ Chercheurs peu enclins à sortir de leur laboratoire et à faire l'effort requis pour s'adapter au milieu et partager le contrôle du processus de recherche

◄ Manque de reconnaissance des efforts de diffusion faits par les intervenants dans les milieux de pratique

◄ Non-reconnaissance du temps consacré à la recherche par les intervenants, ou de l'intégration des milieux de pratique par les chercheurs universitaires, etc.

À l'intérieur des établissements distributeurs de services, Szulanski (1996) classe ces obstacles au transfert en deux catégories, les obstacles individuels et les obstacles systémiques.

◆ Obstacles individuels

À la circulation des connaissances, nous trouvons notamment :

• L'ignorance du fait que ce que l'on sait puisse servir aux autres et du fait que d'autres possèdent la connaissance que l'on recherche

• Le manque de temps pour analyser l'information et la rendre utile dans l'intervention

• La non-reconnaissance de l'expertise de certaines personnes

• Le manque de motivation pour apprendre ou changer ses façons de faire.

◆ Obstacles systémiques

Ils incluent notamment :

• La compétition à l'intérieur des équipes de travail

• La valorisation de la performance individuelle par rapport au partage et aux progrès collectifs

• L'absence d'une perspective commune ou d'un langage commun entre les équipes de travail

• La tendance à sous-estimer la valeur de l'expérience.

Cette classification des obstacles pourrait aussi bien s'appliquer à l'université.

Il est possible d'affirmer que la plupart de ces obstacles au transfert des connaissances dans les milieux de pratique relèvent de la méconnaissance mutuelle des univers de la recherche et de la pratique, ce à quoi s'ajoute le manque organisationnel de stratégies de gestion des savoirs. De tels obstacles peuvent être franchis à condition que l'on mette en place des mesures de rapprochement recherche/pratique et des moyens de valorisation des activités de transfert des connaissances. Pour être débloqués, de tels investissements de ressources doivent reposer sur une conscience de la valeur ajoutée d'une bonne gestion de la connaissance pour la mission des organisations tant universitaires que «de services».

Le cas du Centre jeunesse de Québec - Institut universitaire[4]

Dans le domaine de la santé, l'une des stratégies les plus connues de rapprochement de la recherche et de la pratique a consisté à créer des centres hospitaliers universitaires, c'est-à-dire des hôpitaux qui ont une mission de développement des connaissances en même temps qu'ils distribuent des services à la population. Fort de la longue tradition d'enseignement clinique intégrant sur le terrain même les étudiants en médecine (les internes), en nursing, et autres disciplines des sciences de la santé, le milieu hospitalier a développé une culture intégrant presque «naturellement» l'enseignement et les soins aux malades. La recherche s'est intégrée à cet univers pratique en profitant de la reconnaissance acquise de la valeur ajoutée par le développement des connaissances et en disposant des meilleurs moyens financiers pour réaliser les protocoles. En effet, la recherche en santé obtient plus de la moitié du total des fonds publics attribués au développement des connaissances au Québec et au Canada et elle dispose de fonds privés de recherche (pharmaceutiques notamment) qui font l'envie des autres champs de développement des connaissances. Au Québec, le ministère de la Santé et des Services sociaux a tenté d'élargir au champ des services sociaux cette stratégie de rapprochement de la recherche universitaire et des milieux de pratique en créant des « Instituts sociaux », l'équivalent des centres hospitaliers universitaires mais dans le domaine social. En gardant à l'esprit que le secteur des services sociaux est souvent désigné comme le parent pauvre en matière de financement de la recherche, nous tentons d'illustrer concrètement notre discussion sur le transfert des connaissances en présentant le cas du Centre jeunesse de Québec – Institut universitaire avant de tirer nos conclusions.

Un peu d'histoire

La mise en place des premières bases tangibles destinées à soutenir le rapprochement entre la recherche et la pratique dans le domaine des services sociaux au Québec remonte à 1991 avec la création du programme de financement des équipes en partenariat du Conseil québécois de la recherche sociale (CQRS). Cet organisme, rattaché au ministère de la Santé et des Services sociaux du Québec, était destiné à financer la recherche pertinente à la réalisation de la Politique de la santé et du bien-être du Québec. Jusqu'à 25 équipes en partenariat ont été subventionnées par ce programme réunissant des chercheurs universitaires et des organismes publics ou communautaires dans la réalisation d'une programmation de recherche appliquée à une problématique donnée (par exemple: la maltraitance des enfants, les familles en transition, la violence faite aux femmes, les soins aux personnes âgées, etc.).

En 2002, le CQRS a été intégré au Fonds québécois de recherche sur la société et la culture (FQRSC), créé dans la foulée de l'adoption de la Politique scientifique du Québec (MRST, 2000) et dont la mission englobe l'ensemble des problématiques des sciences sociales et humaines et non plus seulement celles se rapportant à la santé et au bien-être. Le FQRSC a cependant conservé un programme de financement d'équipes en partenariat, reconnaissant la pertinence de ce dispositif dans l'avancement des connaissances (FQRSC, 2003a). Ce programme de subvention offre aux équipes de chercheurs, issus autant de la pratique que du milieu universitaire, un soutien pour des activités de recherche et de transfert des connaissances dont la valeur est établie sur la base des retombées attendues au niveau des interventions auprès de la population et de la qualité des liens de partenariat, en plus de la valeur scientifique de la programmation de recherche.

En référence aux modèles présentés plus haut, les équipes en partenariat sont assimilables à la formule « bidirectionnelle » où l'interaction chercheurs/intervenants se fait dans les deux sens mais où chacun conserve son rôle dans la recherche de solutions aux problèmes identifiés comme objets de recherche.

Les instituts sociaux et la recherche

Le Fonds québécois de recherche sur la société et la culture (FQRSC), en collaboration avec le ministère de la Santé et des Services sociaux, a récemment publié les objectifs de son programme de soutien aux instituts sociaux:

- ◄ *Soutenir le fonctionnement et le développement d'une structure de recherche comme lieu de concertation et d'intégration des ressources internes et externes vouées à la recherche et au développement d'applications pratiques.*
- ◄ *Soutenir la réalisation d'une programmation de recherche qui intègre, sous des axes complémentaires, des projets dont la qualité scientifique est démontrée et qui comprennent notamment des études sur les populations desservies et les problèmes des clientèles ainsi que des études portant sur l'évaluation des politiques, des programmes et des pratiques.*
- ◄ *Soutenir des activités visant la diffusion et le transfert des connaissances ainsi que la valorisation des résultats de la recherche sous forme d'innovations dans les modèles de pratique, les programmes et les services.*
- ◄ *Soutenir des activités visant la formation de chercheurs ainsi que le développement de l'expertise des intervenants et des gestionnaires.*

  Les établissements sont encouragés à financer les activités directes de la recherche à l'aide de subventions complémentaires pour les projets de recherche menés. Ce programme de soutien à l'infrastructure est complémentaire au programme Soutien aux équipes de recherche pour les équipes se situant dans la configuration Centres et Instituts affiliés universitaires (FQRSC, 2003b).

Il importe de noter que la formule des instituts sociaux n'a pas connu le même rythme de développement que celle des équipes en partenariat au Québec, seulement quatre d'entre eux ayant vu le jour au cours des dix années d'existence du programme[5]. Il importe aussi de souligner que la candidature au titre d'institut universitaire requiert un engagement institutionnel beaucoup plus important que l'équipe en partenariat : c'est l'établissement qui est désigné et non pas l'équipe de chercheurs. Dans l'évaluation de la candidature au titre d'institut universitaire, l'équipe de chercheurs doit faire la preuve de sa reconnaissance par un organisme subventionnaire et, de son côté, l'établissement doit être agréé comme un leader dans son domaine et disposer d'un protocole d'entente bien rodé avec une ou plusieurs universités. Bref, la désignation n'est pas un dispositif de soutien à l'émergence mais plutôt une façon de renforcer une alliance entre des entités qui rayonnent déjà, dans la poursuite d'une synergie en matière de formation, de recherche et développement des pratiques. La thématique de recherche de l'Institut se rapporte aux jeunes en difficulté, à leur famille ainsi qu'aux institutions qui les desservent. La programmation scientifique est centrée sur les jeunes qui présentent des problèmes de comportement ou qui sont susceptibles d'en développer, de les aggraver ou de contribuer à leur transmission intergénérationnelle. Le groupe scientifique du CJ Québec – Institut universitaire réunit l'ensemble tous les acteurs du milieu (gestionnaires et intervenants) et des universités (chercheurs et étudiants) qui participent à un projet inscrit dans sa programmation. Le lieu de branchement du groupe scientifique dans l'établissement est la direction du développement des pratiques professionnelles, direction qui a justement pour mission de promouvoir la recherche d'une meilleure réponse aux besoins des jeunes via la recherche et le développement autour des pratiques cliniques. Sans cette connexion solide, le groupe scientifique risque la distanciation, élément fort nuisible à la coopération.

L'expérience de transfert des connaissances

Dans une étude récente sur le point de vue de 22 praticiens ayant vécu une expérience de participation directe à une recherche en partenariat, Pouliot, Mireault et Paquet (2003) font les observations suivantes:

- Les praticiens répondants ont le sentiment d'avoir joué un rôle pivot dans la réalisation de la démarche et une fonction importante au plan du transfert des résultats vers le milieu.
- Si tous les répondants ne sont pas entièrement satisfaits de leur expérience, sur une échelle de satisfaction de 1 à 10, les intervenants affichent un score moyen de 7, 8.
- Les répondants estiment que la clarté des rôles est essentielle dans le déroulement de la recherche.
- Ils affirment que la liberté et la flexibilité dans leur horaire de travail est un élément nécessaire pour coordonner leurs activités cliniques maintenues avec la recherche et, sur ce plan, l'ouverture des supérieurs hiérarchiques et des collègues de l'équipe est indispensable.
- Même si les répondants voient plus d'avantages que d'inconvénients, qu'ils aiment la diversité qu'apporte la recherche dans leurs fonctions et sont fiers de voir leur nom associé à ces réalisations, des obstacles sont identifiés, dont notamment : les

exigences plus lourdes qu'anticipées de cette participation à la recherche, les normes strictes à respecter reliées à une grande insistance sur la méthodologie, et plus globalement la confrontation des cultures distinctes des chercheurs et des praticiens.

◁ Enfin, les bénéfices tangibles de la recherche pour l'établissement ne sont pas toujours faciles à identifier par les répondants (Pouliot et coll., 2003).

Le récit détaillé de l'expérience de développement et de transfert des connaissances vécue au cours des huit dernières années au Centre jeunesse de Québec étant hors de notre portée ici, nous nous limiterons à la formulation de deux constats plus globaux issus de cette suite d'expériences de recherche en partenariat.

Selon un premier constat, l'expérience nous montre qu'il est possible d'instaurer un modèle coopératif de transfert des connaissances dans le domaine des services sociaux à l'enfance. En effet, nous avons pu réaliser un niveau de rapprochement entre chercheurs, intervenants et gestionnaires qui transgressait les frontières de rôles traditionnels. Par exemple, les intervenants et les gestionnaires sont amenés à participer directement à des projets de recherche (recherche évaluative notamment) et les chercheurs sont amenés à participer directement à l'orientation des pratiques en s'intégrant à des tables de réflexion clinique ou à des comités décisionnels. Autre exemple, des intervenants ont été dégagés de leurs fonctions habituelles pour réaliser des publications ou des vidéos destinés à « formaliser » et à « transférer » leur expertise clinique avec le soutien de chercheurs pour la conception et la rédaction de leur ouvrage, les chercheurs se mettant à l'écoute des savoirs des cliniciens. Par la suite, ces productions ont pu faire l'objet de présentations dans des congrès ou colloques avec la participation conjointe des intervenants et des chercheurs. Ces productions ont aussi été insérées dans des activités de formation dans différents établissements de services sociaux (autres centres jeunesse notamment), mais aussi dans le cadre de cours universitaires aux cycles avancés, les intervenants agissant alors comme conférenciers invités dans les cours concernés. Autre exemple, des intervenants de différents secteurs d'activités dans l'établissement ont été désignés «répondants à la recherche» afin de faire lever dans leur secteur les questions et les idées de recherche susceptibles de générer des projets subventionnés. Ces «répondants recherche» ont aussi un rôle de médiateur entre le terrain clinique et les protocoles de recherche universitaire, l'objectif étant d'assurer une appropriation des collectes de données par les intervenants cliniques en même temps que d'assurer une planification des opérations de recherche respectueuse des services cliniques. Dans la même logique, d'autres intervenants ont été désignés «répondants à l'enseignement» afin d'assurer le meilleur synchronisme possible entre d'une part les besoins de formation des stagiaires universitaires ou collégiaux et la capacité d'accueil des équipes cliniques, et d'autre part, les besoins de formation des cliniciens et les opportunités identifiables dans le milieu universitaire ou la communauté. Enfin, des chercheurs universitaires, des gestionnaires, des intervenants et des parents d'accueil et des usagers ont été amenés à réaliser ensemble une analyse des pratiques de placement en famille d'accueil afin de formuler des recommandations servant de base au développement sur plusieurs années pour tout le réseau dans cette importante zone de services à la jeunesse[6]. Dans ce projet, tous avaient le même rôle sans égard à leur statut, mais chacun l'accomplissait avec sa propre expertise.

Cependant, si l'expérience nous montre que le transfert des connaissances de type coopératif est possible, elle nous montre aussi qu'il serait illusoire de fonder toute une programmation scientifique sur ce modèle. En effet, les activités de transfert de type coopératif ne répondent pas à tous les besoins ni n'exploitent tous les potentiels. Au contraire, l'expérience du Centre jeunesse de Québec nous montre que la recherche universitaire basée sur des collectes terrain continue d'avoir une pertinence dans certains contextes, sauf que les établissements n'acceptent plus de n'être que des «terrains» sans droit de parole dans le processus de développement des connaissances. Cette expérience du CJ Québec– Institut universitaire nous indique aussi que les activités traditionnelles de transfert des connaissances comme les cours, les colloques ou les conférences animés par des chercheurs spécialisés offerts à des intervenants continuent d'avoir leur place et qu'elles constituent des moyens efficients de transfert d'information. Évidemment, au terme de telles activités unidirectionnelles, on ne peut avoir les mêmes attentes d'appropriation de la part de l'auditoire, celui-ci étant plutôt dans une phase de sensibilisation à l'égard des contenus présentés. Ces activités répondant au modèle «unidirectionnel» de transfert peuvent elles-mêmes être complétées à l'aide du deuxième modèle qui prévoit une communication bidirectionnelle autour de problèmes à résoudre. À ce moment, chercheurs et intervenants conservent chacun leur rôle et leur cadre de travail, et le transfert des connaissances est fondé sur une communication multidirectionnelle orientée vers la recherche d'une solution. Plusieurs éléments de la programmation scientifique des équipes CQRS se rapprochent de ce modèle, les universitaires actualisant leur travail de recherche et de transfert sur des objets de recherche co-optés avec le milieu, celui-ci y conservant un droit de parole et une participation à la collecte des données, sans toutefois être impliqué dans les autres étapes de sa réalisation (gestion du financement, analyse des données, rédaction des publications, diffusion des résultats, etc.). Bref, l'expérience nous montre que le modèle de coopération est faisable et intéressant, mais qu'il doit cohabiter avec les autres niveaux pour que le plein potentiel de développement et de transfert des connaissances puisse être exploité dans la réalité.

Notre deuxième constat global porte sur le rapprochement des cultures de recherche et d'intervention. Parmi les bénéfices qui ont émergé de l'application du modèle de coopération dans le développement et le transfert des connaissances au CJ Québec – Institut universitaire, il y a l'appropriation de la logique évaluative par les gestionnaires et les intervenants. L'idée de « mettre une caméra » sur les actions, sur les personnes et sur les résultats des actions, s'est développée considérablement de sorte que le milieu de pratique est devenu un demandeur actif de protocoles d'évaluation, ce qui n'était pas le cas auparavant, la plupart des initiatives d'évaluation émanant des chercheurs. L'idée de réserver, dans toute entreprise, une partie de l'énergie disponible pour faire le suivi de l'opération et en dégager une représentation objective est devenue de plus en plus légitime, même en contexte de sévères restrictions budgétaires. Ce réflexe de « monitorage » est le signe d'une valorisation accrue de l'information dans la culture de l'organisation, en même temps qu'il témoigne d'un sentiment de compétence à générer cette information. La conviction se développe à l'effet que sans une représentation fine des processus et de leurs effets, le développement des pratiques est aléatoire. Le sentiment se développe que les fondements empiriques validant les options constituent le « nerf de la guerre » dans la promotion des changements de façons de faire (Bouchard, 2002).

Du côté des chercheurs, ce « rapprochement des cultures » a donné lieu à l'abandon spontané de l'habitude de concevoir des projets de recherche à l'abri des questions du milieu de pratique pour ensuite lui proposer ces projets dans l'optique d'utiliser leur établissement comme lieu de collecte de données sans autre forme de participation. Il est vrai qu'il est devenu quasiment impossible de prendre les centres jeunesse pour de simples «terrains» en recherche, mais il apparaît que les chercheurs ont maintenant le réflexe de construire avec l'établissement le protocole de recherche, notamment parce que, seuls, les intervenants ont une connaissance suffisamment raffinée de certains processus pour garantir la validité méthodologique de l'entreprise. Par exemple, il n'est pas possible, depuis le laboratoire universitaire, de dégager une représentation valable du cheminement des clientèles dans la trajectoire de services, de sorte que le simple montage d'un échantillon représentatif requiert la coopération du milieu, sans parler de l'estimation des délais dans la cueillette des données, ni de la « mortalité expérimentale », ou des étapes à franchir pour accéder au répondant dans le respect des règles déontologiques. Bref, la culture du chercheur intègre de plus en plus spontanément le langage de l'établissement et le respect de ses règles fonctionnelles. Les bénéfices de ce rapprochement des cultures en termes d'augmentation de la capacité de recherche sont incontestables.

Cependant, cette entreprise de rapprochement des cultures requiert une bonne dose de tolérance. Il faut tolérer que ce rapprochement soit relatif, influencé qu'il est par les acteurs, les contextes d'opérations et les périodes considérées. Il faut tolérer le coût en temps requis pour s'apprivoiser mutuellement. Il faut aussi tolérer les changements d'acteurs qui, trop souvent, ramènent le processus de rapprochement à la case départ.

Conclusion : conditions de réussite et leçons à tirer pour l'avenir

À plusieurs égards, l'expérience du Centre jeunesse de Québec est assimilable au modèle coopératif de développement et de transfert des connaissances. Cependant, la programmation scientifique de cet institut social repose encore pour une bonne part sur la réalisation d'activités relevant des modèles «linéaire» et « bidirectionnel». La tolérance de cette mixité des types de contributions est certainement une condition de réussite puisque la productivité globale en dépend directement. Le modèle coopératif bouscule davantage l'identité professionnelle des acteurs parce qu'il leur demande de composer avec la réalité de l'autre. Dans les périodes difficiles, le réflexe est souvent de rapatrier ses effectifs dans sa «zone de sécurité», c'est- à-dire l'université pour les uns, et l'établissement de services pour les autres. Pour survivre, ce type de coopération de «recherche et développement» doit disposer des moyens requis pour transcender les obstacles à court terme et se rattacher à une vision à plus long terme. Cela passe par une bonne dose d'institutionnalisation, c'est-à-dire des engagements formels des institutions qui dépassent le court terme et sont soutenus au plus haut niveau des organisations. Cela passe aussi par une autonomie de la composante scientifique dans l'établissement d'accueil, composante qui doit assurer son financement et le recrutement de ses participants et aussi assumer l'imputabilité de sa programmation. Cela passe aussi par une connexion organisationnelle solide avec les opérations.

Leçons pour l'avenir

La conservation des acquis et le maintien de la capacité d'innovation constituent deux grands défis pour ce type de montages de recherche et de développement. Comment assurer la pérennité d'une initiative fondée sur le renouvellement? En période de crise budgétaire, les décideurs peuvent être tentés de faire des économies à court terme sur les partenariats qui ne sont pas directement essentiels à la distribution des services. En contexte de resserrement des exigences qui leur sont posées, les chercheurs universitaires ou les intervenants peuvent facilement décider de ne plus assumer la distance supplémentaire à franchir pour faire lever des partenariats et se replier plutôt dans leur milieu respectif, université ou établissement de services. De part et d'autre, ces acteurs peuvent mettre en péril des outils qui ont été longs et coûteux à faire émerger, d'autant qu'ils demeurent fragiles et imparfaits. La reconnaissance de ce type d'instrument passe évidemment par la conscience de la valeur ajoutée de l'interfertilisation recherche–pratique, même lorsque cette dernière est destinée au segment le plus vulnérable de la population. La survie de ce type d'entreprise passe par la capacité de se donner un horizon temporel large tout en étant sensible aux petits pas puisque, paradoxalement peut-être, l'innovation rime mieux avec constance des efforts qu'avec magie du coup de chance.

ABSTRACT

In the logic of « Research & Development », knowledge transfer plays an important part in generating new practice and new technologies. While various transfer models, linear, bi-directional and cooperative are relevant to knowledge diffusion, « cooperative » transfer appears to be the one model responding best to the needs of field work. The Centre jeunesse de Québec, Institut universitaire's experience reveals that cooperation between workers and clinicians at every step of a research project helps to bring closer research and intervention cultures and is beneficial to the development of both knowledge and practice, even though the requirements underlying such a collaboration may seem high.

Notes

1. Conseil Supérieur de l'Éducation *Pour une meilleure réussite scolaire des garçons et des filles.* Avis au Ministre de l'Éducation. Québec, octobre 1999.
2. Définition de Henri Piéron, présentée dans *Le Nouveau Petit Robert* (1994). Paris : Dictionnaire Le Robert.
3. Institut de recherche sur le travail et la santé (2001). Infocus. *Current workplace research,* n° 20a, février, p. 1.
4. Au Québec, les centres jeunesse ont pour mission d'assurer la protection de l'enfance et de la jeunesse en offrant aux jeunes en difficulté et leur famille les services requis par la Loi sur la protection de la jeunesse. Ces établissements sont aussi chargés d'offrir les services reliés aux jeunes contrevenants et à l'adoption. Il s'agit de services de deuxième et troisième ligne dont la clientèle correspond à environ 4 % de l'ensemble de la population des 0–17 ans.
5. Le premier institut social a été créé en 1993 avec la désignation par le ministre Marc-Yvan Côté, du CLSC René-Cassin, de Montréal, au titre d'Institut universitaire. Par la suite, en 1995 deux autres établissements ont obtenu la désignation : le Centre François Charron de Québec (réhabilitation physique et sociale de personnes souffrant d'un handicap) et le Centre jeunesse de Québec. Enfin en 1996, le Centre jeunesse de Montréal obtenait la désignation.
6. Cloutier R. et coll. (2000). *Groupe de travail sur la politique de placement en famille d'accueil. Familles d'accueil et intervention jeunesse : Analyse de la politique de placement en ressource de type familial.* Beauport : Centre jeunesse de Québec – Institut universitaire sur les jeunes en difficulté et Québec — Ministère de la Santé et des services sociaux. Document disponible sur le site internet : *www.centrejeunessedequebec.qc.ca* à la rubrique « institut universitaire » et « publications ».

Références

AUCC *Framework of Agreed Principles on Federally Funded University Research Between the Government of Canada and the Association of Universities and Colleges of Canada*. Ottawa, novembre 2002. Document disponible sur le site internet:*http://www.aucc.ca/_pdf/english/reports /2002/frame_cadre_e.pdf*

Beaudoin S, LaQuerre C. *Guide pratique pour structurer le transfert des connaissances.* Québec : Centre jeunesse de Québec – Institut universitaire, Direction du développement de la pratique professionnelle, 2001.

Bouchard M. Communication personnelle. Québec : Centre jeunesse de Québec – Institut universitaire, Direction du développement de la pratique professionnelle, 2002.

Breton K, Landry R, Ouimet M. *Knowledge Brokers and Knowledge Brokering : What Do We Know?* Sainte-Foy : Université Laval – Département de Sciences politiques. Notes de la communication préparée pour the Spring Institute of the Centre For Knowledge Transfer : « Champions, Opinion Leaders and Knowledge Brokers : Linkages Between Researchers and Policy Makers ». Edmonton, Alberta, Mai 2002. Document disponible sur le site internet : *http://kuuc.chair.ulaval.ca*

CLIPP Centre de liaison sur l'intervention et la prévention psychosociales, 2003.

Clément M, Ouellet F, Coulombe L, Côté C, Bélanger L. Le partenariat de recherche : éléments de définition et ancrage dans quelques études de cas. *Service Social* 1995; 44 : 45–64.

Dede C. The Scaling-up Process for Technology-Based Educational Innovations. In : *Learning with Technology. Yearbook of the Association for Supervision and Curriculum Development* Alexandria, Virginia, 1998.

Dede C. The Role of Emerging Technologies for Knowledge Mobilization, Dissemination and use in Education, 2002. *www.Virtual.gmu.edu/EDIT895/ knowlmob.html*

FQRSC *Programme de subvention des équipes.* Québec : Fonds québécois de recherche sur la société et la culture, 2003a.

FQRSC *Programme conjoint avec le MSSS de soutien aux infrastructures de recherche des Instituts et Centres affiliés universitaires.* Québec : Fonds québécois de recherche sur la société et la culture, 2003b.

Gélinas A. Les fondements du transfert des connaissances. *Actes du Forum du CQRS : Le transfert des connaissances en recherche sociale.* 1990 : 17–38.

Gélinas A. La recherche partagée : la perspective constructiviste et innovatrice du transfert. Communication présentée dans le cadre du 70ᵉ Congrès de l'ACFAS. Session : C-505 « La dissémination des connaissances issues de la recherche sur l'enseignement : perspectives multiples et négociations entre les acteurs ». Québec, mai 2002.

Landry C, Gagnon B. Les notions de partenariat et de collaboration induisent-elles un nouveau mode de recherche entre université et milieu? *Cahiers de la recherche en éducation* 1999; 6 : 163–188.

MRST *Pour une politique scientifique du Québec. Vue d'ensemble.* Document de consultation. Québec : Ministère de la Recherche de la Science et de la Technologie, juin 2000.

Nonaka I, Takeuchi H, avec la contribution de **Ingham M.** La connaissance créatrice, la dynamique de l'entreprise apprenante. Bruxelles : De Boeck. Cité in : **Jacob R, Pariat L.** (eds) *Gérer les connaissances : un défi de la nouvelle compétitivité du XXIᵉ siècle.* Québec : CEFRIO, 1997.

O'Dell C, Jackson Grayson C, Essaides N. *If Only We Knew What We Know. The Transfer of Internal Knowledge and Best Practice.* New York : The Free Press, 1998.

Pouliot, Mireault G, Paquet G. *Le partenariat de recherche au Centre jeunesse de Québec – Institut universitaire : le point de vue des praticiens.* Beauport : Centre jeunesse de Québec – Institut universitaire, 2003.

Proulx S. Entre publics et usagers. La construction sociale d'un nouveau sujet communicant : l'interacteur, 2002. *http://grm.uqam.ca/recherche/interacteur.htm*

Sveiby KE. *The new organizational Wealth. Managing and Measuring Knowledge-based Assets.* San Francisco : Bezett Koekler Publ., 1997.

Zack MH. Developing a knowledge strategy. *California Management Review* 1999; 41 : 125–145.

prisme
prisme
PRISME
prisme
prisme
PRISME
n° 42

Intégrer la recherche à la clinique
Un exemple de processus amorcé par des cliniciens

It is incredible what we don' t know; but incredible the amount of information we have and don' t use. As a result costly health and health care decisions are made based on little or no evidence.

Robert G. Evans, économiste de la santé
(National Forum on Health, 1997)

Nicole Nadeau

**L'auteure est pédopsy-
chiatre au département de
psychiatrie de l'Hôpital
Sainte-Justine et
professeur adjoint de
clinique au Département
de psychiatrie de
l'Université de Montréal.**

Adresse :

3100, rue Ellendale Montréal
(Québec) H3S 1W3

Courriel :

nicole.nadeau.hsj@ssss.gouv.qc.ca

Lorsqu'il s'agit de recueillir et d'analyser des données sur la population clinique, chercheurs et cliniciens se trouvent confrontés à deux réalités opposées. Les cliniciens ont naturellement accès aux sujets puisqu'il s'agit de leurs patients mais ils n'ont ni les moyens ni le temps de récolter systématiquement et encore moins de traiter les informations les concernant. Les chercheurs, quant à eux, possèdent les ressources, les instruments et les méthodes pour recueillir et analyser les données, mais se trouvent bien souvent éloignés de leurs sujets d'étude, surtout s'il s'agit de recruter des sujets représentatifs de la population clinique. On déplore souvent le fait que cliniciens et chercheurs oeuvrent dans des univers séparés; la reconnaissance de leurs besoins mutuels en ce qui a trait au développement de la recherche sur les populations cliniques les met au défi de s'unir autour d'une tâche commune et de rendre complémentaires leurs ressources respectives.

C'est sur la base de ces prémisses qu'un groupe de cliniciens, médecins et professionnels, s'est constitué depuis quelques années au service des consultations externes du département de pédopsychiatrie d'un C.H.U., l'hôpital Ste-Justine de Montréal. L'objectif premier de ce groupe était de développer un système de recueil des données cliniques sur la population consultante. Ce système devait permettre la création d'une banque de données informatisées et donner l'impulsion à un processus de recherche clinique de type évaluatif. Les cliniciens souhaitaient s'approprier le processus en participant à la conceptualisation de leur propre système de collecte

$\left(128 \right)$

RÉSUMÉ

L'auteure rappelle les étapes successives de la conceptualisation et du développement du système de collecte de données mis en place dans le service des consultations externes par un groupe de cliniciens et de professionnels du département de psychiatrie de l'Hôpital Sainte-Justine au cours des récentes années et elle discute de son contexte d'utilisation en exposant les applications potentielles de la banque de données selon les types d'études privilégiées. Enfin la question de l'intégration de la recherche dans la clinique est abordée en référence aux grands enjeux de la recherche clinique actuelle.

de données, espérant attirer par la suite des chercheurs intéressés par des questions de recheche communes. Il s'agissait donc de modifier le courant habituel originant des milieux de recherche vers les milieux cliniques pour parvenir à de réels partenariats s'apparentant au modèle coopératif de transfert des connaissances décrit dans les pages de ce dossier par Cloutier et coll., un modèle dans lequel les différents acteurs, chercheurs et cliniciens, seraient à la fois «générateurs» et «consommateurs» de connaissances.

L'étude des étapes initiales de ce processus a fait l'objet d'un premier article publié en 2001 (Pluye, Nadeau et Lehoux, 2001). L'article présenté ici relate les étapes intermédiaires franchies depuis cette première publication et en ce sens y fait suite. Toutefois, il n'est pas structuré comme un article de recherche mais plutôt comme un essai sous forme de témoignage à propos d'une expérience en cours.

Dans un premier temps, les étapes successives de la conceptualisation et du développement du système de collecte de données ainsi que son contexte d'utilisation sont brièvement décrites. Ensuite les applications potentielles de la banque de données créée à l'aide de ce système sont exposées. Enfin la question de l'intégration de la recherche dans la clinique est abordée en référence aux grands enjeux de la recherche clinique tels qu'ils ont été définis par le groupe de travail mandaté par l'Institut National pour la Santé Mentale (NIMH) et rapportés dans le document « *Blueprint for change* » (*National advisory Mental Health Council Workgroup on Child and Adolescent Mental Health Intervention Development and Deployment*, 2001; Hoagwood et Olin, 2002).

Conceptualisation d'un système de collecte de données : la contribution des cliniciens

Les premières phases du processus consistaient pour le groupe de cliniciens à rassembler des données sur la population consultante telle qu'elle se présente dans la pratique clinique courante : il s'agissait de conceptualiser un système de collecte de données. D'abord conçu sous forme de fiches «maison» incorporées au dossier (Pluye et al., 2001), le système a évolué vers une application informatique utilisée directement par les cliniciens. Les contenus initiaux (variables) découlant du schéma habituel de la démarche clinique se sont modifiés sous l'inspiration d'un modèle existant, l'*Item Sheet*, un système de collecte de données instauré et développé depuis plus de 30 ans par Michael Rutter et son équipe à l'Institut Maudsley de Londres (Thorley, 1982, 1987; Goodman et Simonoff, 1991). Une consultation auprès d'un chercheur de cette équipe fut précieuse à plusieurs titres, nous permettant de formaliser une démarche engagée d'abord sur des bases empiriques, de profiter de l'expérience d'un expert et éventuellement de nous positionner par rapport à d'autres équipes concernées par des problématiques cliniques semblables.

Dans sa forme actuelle, le système permet le recueil de données en deux temps, soit au début de la consultation, i.e. pendant la phase d'évaluation, et au terme de l'épisode actif de soins. Il recueille des données sous trois formats : des échelles de mesure (données de type quantitatif), des menus déroulants à choix de réponses (données catégorielles descriptives), et des espaces de champ texte pour le recueil d'informations supplémentaires (données de type qualitatif). Ces données comprennent : des informations générales, des données relatives à la consultation actuelle, aux antécédents, à la situation familiale, à la scolarité, à la dimension culturelle, une échelle symptomatique, un diagnostic DSM-IV, une échelle des situations psychosociales anormales, une échelle de fonctionnement global, et enfin des données portant sur la consultation elle-même et décrivant le parcours de soins dans le service.

Au cours des deux dernières années, le système a fait l'objet d'une étude d'implantation et de validation dans le cadre d'un projet soutenu par une structure universitaire vouée au soutien de projets émanant des milieux cliniques. Les résultats de cette étude sont en cours de production.

Les utilisateurs actuels du système de collecte de données sont un sous-groupe de cliniciens, médecins et professionnels, oeuvrant en clinique externe de pédo-psychiatrie et représentant environ la moitié des membres du service. La participation volontaire est demeurée tout au long une des règles fondamentales garantissant le déroulement du processus. Le système de collecte de données nécessitant une formation de base et du temps pour son utilisation, un engagement suppplémentaire est requis de la part des cliniciens qui doivent en retour se sentir en accord avec le processus et libres d'y participer.

Applications et potentiel d'exploitation d'une banque de données: la construction des liens entre cliniciens et chercheurs

Une cueillette de données systématique et rigoureuse constituait l'étape première de l'entreprise du groupe de cliniciens en vue de générer des connaissances sur sa population clinique: la qualité des résultats issus de la banque de données dépendra de la qualité des données elles-mêmes.

Mais les données étant «récoltées», encore faut-il les traiter, en tirer des résultats afin que l'entreprise prenne tout son sens. C'est ici que débute véritablement la collaboration entre cliniciens et chercheurs, collaboration essentielle, souvent souhaitée de part et d'autre, mais délicate à réaliser dans les faits. Les liens entre chercheurs et cliniciens se tisseront autour d'intérêts de recherche communs et de nécessités complémentaires concernant les savoirs à développer. L'ingrédient clef du développement de ces liens est le respect mutuel des savoirs et expertises de chacun, une sorte d'apprivoisement progressif des différences menant à la définition d'un objet de travail commun. Les ressources financières se faisant rares, la monnaie d'échange devient alors l'information elle-même, les données à partager entre chercheurs et cliniciens. C'est ainsi que l'expérience relatée ici a pu se développer, à la faveur de liens engagés et développés au fil du temps avec des collaborateurs des milieux de recherche hospitaliers et universitaires. La banque de données constituée par le groupe de cliniciens est devenue en quelque sorte l'agent de liaison, l'interface de communication entre les uns et les autres.

Quelques exemples servent ici d'illustration aux modalités d'exploitation de la banque de données sur la base des efforts de collaboration ci-haut décrits.

➤ Études descriptives

Dans un premier temps, des études descriptives simples serviront à produire de l'information sur l'échantillon dans son ensemble : établissement du profil clinique de la population consultante répartie par catégories selon le sexe, les tranches d'âge, les grands regroupements diagnostiques, les variables associées aux dimensions familiales, culturelles, sociales. Des études de prévalence décriront la présence d'un facteur spécifique d'intérêt particulier, p.ex. la représentation d'un type de psychopathologie et ses corrélats, l'utilisation d'un type de traitement, etc. Ce premier niveau d'analyse sert à fournir aux cliniciens un portrait global de la population consultante, et ainsi à situer leur expérience clinique singulière dans le contexte élargi du groupe auquel ils appartiennent.

➤ Études comparatives

Un des intérêts majeurs des banques de données consiste à les comparer entre elles sur des variables communes ou semblables, le contraste permettant de faire émerger de l'information nouvelle sur une question donnée.

a) Comparaison dans le temps des données d'un même site

Si la banque de données est permanente, il devient alors possible de comparer dans le temps les données d'une clinique et ainsi de mettre en évidence les variations d'un même phénomène clinique et/ou des facteurs liés à ce phénomène. À ce titre, la banque de données de l'Institut Maudsley est exemplaire puisqu'elle s'est développée sur une période de plus de trente ans, favorisant ainsi l'analyse des phénomènes cliniques dans une perspective longitudinale. Donnons pour exemple une étude portant sur l'augmentation des taux de prévalence du suicide : l'analyse comparative des données dans le temps a permis d'identifier la prise d'alcool comme étant la principale variable associée à l'évolution du phénomène (Fombonne, 1998).

Bien que la banque de données dont il est question ici soit beaucoup plus récente, on peut déjà envisager l'étude comparative dans le temps de certaines catégories de données relevant du répertoire des profils cliniques, des diagnostics utilisés, de certaines variables socio-démographiques, des modalités de pratiques. La comparaison de données permet alors d'objectiver l'évolution dans le temps de phénomènes cliniques ou de caractéristiques de la population consultante, et potentiellement de définir des questions de recherche liées à ces observations.

b) Comparaison des données entre différents centres

En pédo-psychiatrie, des patients identifiés comme porteurs de diagnostics semblables consultent dans des milieux différents, selon des trajectoires de consultation variées. La plupart des catégories diagnostiques fréquemment utilisées regroupent des populations cliniques hétérogènes. Il devient donc intéressant de comparer entre elles les populations issues de différents sites cliniques afin d'en faire émerger les points de divergence et/ou de convergence. La comparaison des données récoltées sur chaque site servira par exemple à mettre en évidence des profils psychopathologiques spécifiques à des sous-groupes de patients en terme de présentation clinique ou de sévérité du dysfonctionnement. Cette comparaison pourra aussi mettre en évidence des variables environnementales influençant la trajectoire de consultation indépendamment des variables liées à la psychopathologie elle-même. De la même façon, l'étude de la variation dans l'utilisation d'un type de traitement pour une pathologie donnée pourra faire émerger des facteurs des deux niveaux, clinique et contextuel.

On trouvera aussi intérêt à comparer entre elles des populations de cliniques pédo-psychiatriques issues de différents secteurs ou régions géographiques, de grands centres urbains et de régions périphériques ou éloignées. La comparaison des données permet de dégager les caractéristiques propres à chaque population selon différentes catégories de variables environnementales (économiques, culturelles, sociales, familiales, éducationnelles...) et d'explorer l'association entre ce type de variables et les variables cliniques.

➤ Études spécifiques

Une autre façon de générer de l'information à partir de la banque de données consiste à étudier des sous-échantillons de patients définis en fonction d'une variable d'intérêt. Ainsi dans le cadre d'un stage d'été, une étudiante en médecine a pu mener à bien une petite étude exploratoire portant sur la population consultante d'origine transculturelle. Les cliniciens savaient, tant par leur expérience quotidienne que par la situation géographique de leur lieu de pratique, que cette population était fortement représentée dans leur clinique mais ils n'avaient jamais eu accès à des données la décrivant. Certaines caractéristiques concernant notamment la famille, la trajectoire de consultation, les motifs de consultation et les modalités de suivi ont permis de mettre en valeur l'intérêt d'une étude de ce sous-groupe et ont ensuite servi à enrichir l'information recueillie sur la dimension trans-culturelle dans la population consultante. D'autres unités cliniques au sein de l'institution ont commencé à s'intéresser à cette dimension dans leur population consultante, à amorcer un processus de collecte de données et à développer des lieux d'échanges et de formation sur le sujet, confirmant ainsi l'intérêt de ce champ d'étude.

La banque de données pourra aussi être utilisée dans le cadre de l'étude d'un traitement et de ses résultats. Des instruments de mesures spécifiques viendront s'ajouter à la banque de données existante, afin de recueillir des informations à différents temps du traitement. La banque de données fournit alors le contexte de départ à un devis qui s'élabore ensuite en fonction des objectifs visés. Même si elle n'est pas suffisante au développement de ce type d'étude, la banque de données en favorise l'instauration en fournissant sur-le-champ un ensemble d'informations de base, agissant alors comme catalyseur de projets.

➤ Base d'échantillonnage

Enfin la banque de données pourra être utilisée comme base d'échantillonnage pour des études longitudinales (études de cohorte). Elle permet le recrutement de sujets définis en fonction des caractéristiques requises pour les visées de l'étude. Ces études sont facilitées par le maintien de la banque de données dans le temps. Des études portant sur l'évolution des psychopathologies de l'enfance à l'âge adulte, notamment une importante étude de follow-up sur la dépression et ses corrélats, furent menées à partir de la banque de données de l'Institut Maudsley. Cette banque de données constituait une source d'informations unique pour les chercheurs, leur permettant d'identifier avec précision des sujets devenus adultes et ayant consulté pour une dépression pendant leur enfance ou leur adolescence (Fombonne et al., 2001a; 2001b).

Les banques de données cliniques recèlent un immense potentiel en autant qu'on les exploite de multiples façons. Les collaborations entre équipes de recherche et équipes cliniques sont essentielles à la fructification de ces sources d'information. De telles collaborations ne peuvent s'établir que sur la base de réels partenariats, et un soin particulier doit être porté à l'établissement et au maintien des liens entre chercheurs et cliniciens afin que ne se perdent jamais de vue les objectifs communs.

Comment tracer de nouveaux horizons en recherche clinique?

L'Institut national de santé mentale (NIMH) mandatait au début de ce millénaire un groupe de travail spécial auprès de son Conseil national aviseur en santé mentale afin de faire le point sur les principaux résultats de la recherche en psychiatrie de l'enfant et de l'adolescent dans la dernière décennie et de faire des recommandations concernant les orientations à privilégier pour la décennie actuelle. (*National advisory Mental Health Council Workgroup on Child and Adolescent Mental Health Intervention Development and Deployment*, 2001; Hoagwood et Olin, 2002)

Ce groupe de travail s'est trouvé confronté à un constat déchirant : alors que les années '90 avaient connu la plus grande éclosion en recherche tant fondamentale que clinique dans le champ de la psychiatrie de l'enfant et de l'adolescent, on mesurait aux États-Unis au cours de la même décennie une augmentation significative des taux de prévalence de la maladie mentale chez les enfants et les adolescents. Que s'est-il passé? Comment expliquer cette contradiction? Les auteurs évoquent l'existence d'un fossé entre les résultats des recherches et leur potentiel d'application dans les conditions de pratique clinique courante. Ils déplorent l'insularité croissante de domaines de recherche de plus en plus pointus dans les sciences de base et le très petit nombre de chercheurs véritablement capables d'intégrer les connaissances issues de ces recherches et de les rendre utilisables en clinique. Ils insistent sur la nécessité d'instaurer des processus de recherche dans lesquels la clinique informe la recherche et vice-versa, dans une perspective de «fertilisation réciproque» (*cross-fertilization*). Les auteurs identifient tout particulièrement la question du contexte (social, culturel, familial) comme étant insuffisamment pris en compte dans la plupart des recherches sur les traitements. Afin de rendre applicables les résultats de ce type de recherche, les auteurs recommandent que les acteurs sur le terrain (les cliniciens ou dispensateurs de soins) soient impliqués activement dans le processus menant au développement du devis de recherche.

Dans une même perspective, Streiner démontre dans ces pages la nécessité de rapprocher la recherche sur les traitements de leurs lieux d'application, et pour ce faire de mettre l'accent sur leur *efficience* (i.e. les traitements qui peuvent fonctionner dans les conditions de pratique clinique courante) plutôt que sur leur *efficacité* (i.e. les traitements qui fonctionnent dans des conditions de laboratoire). Afin de réaliser cette transition, Streiner recommande une plus grande tolérance à l'égard d'études moins parfaites sur le plan méthodologique mais plus représentatives sur le plan de la sélection des sujets et des milieux de pratique. Un tel compromis paraît nécessaire si l'on veut voir se combler le fossé décrit plus haut entre recherche et clinique.

L'expérience du groupe de cliniciens rapportée ici participe de cette conceptualisation de la recherche clinique. En s'impliquant activement dans un processus de systématisation de l'information et de cueillette des données, les cliniciens ont en quelque sorte « mis la table », préparé le terrain pour le développement de la recherche sur leur population consultante. Leur participation au processus, dès ses origines, les inscrit d'emblée dans un rapport de dialogue avec les chercheurs avec lesquels ils seront appelés à collaborer et constitue le meilleur garant de l'application des résultats.

Ce type de projet permet aussi de démontrer que la recherche clinique n'a pas à être l'apanage de quelques heureux élus à partir du moment où l'on considère plusieurs niveaux d'implication possibles. Il fournit ainsi l'occasion à des professionnels dont la majeure partie du temps est dévouée aux tâches cliniques de réfléchir sur leur pratique à partir de données objectives, de comparer leurs données à celles de la littérature scientifique et de s'engager dans un exercice de théorisation, de produire des résultats qui pourront être diffusés sous forme de présentations et de publications. Ces cliniciens n'ont-ils pas, eux aussi, la responsabilité de produire des «savoirs» susceptibles d'éclairer les décideurs?

ABSTRACT

The author recalls the successive stages of conceptualization and development of the data collection system used in a child psychiatry outpatient clinic by a group of clinicians and professionnals during recent years. She discusses the utilization context by exposing potential applications of the database depending on the type of chosen studies. Finally the question of research integration in a clinical setting is approached in reference to that which is greatly at stake in present day clinical research.

Références

Fombonne E. Suicidal behaviours in vulnerable adolescents: time trends and their correlates. *Br J Psychiat* 1998; 173 : 154-159.

Fombonne E, Wostear G, Cooper V, Harrington R, Rutter M. The Maudsley long-term follow-up of child and adolescent depression. Psychiatric outcomes in adulthood; *Br J Psychiat* 2001a; 179 : 210-217

Fombonne E, Wostear G, Cooper V, Harrington R, Rutter M. Suicidality, criminality and social dysfunction in adulthood. *Br J Psychiat* 2001b; 179 : 218-223.

Goodman R, Simonoff E. Reliability of clinical ratings by trainee child psychiatrists: a research note. *Journal of Child Psychology and Psychiatry and Allied Discipline* 1991, 32(3): 551-555.

Hoagwood K, Olin SS. The NIMH Blueprint for change report: research priorities in child and adolescent mental health. *J Am Acad Ch & Adol Psychiat* 2002; 41(7) : 760-766.

National Forum on Health. *Canada health action : building on the legacy.* vol.II, Synthesis reports and issues papers. Ottawa : 1997.

National Advisory Mental Health Council Workgroup on Child and Adolescent Mental Health Intervention Development and Deployment. *Blueprint for change: research on child and adolescent mental health.* Washington D.C., 2001.

Pluye P, Nadeau N, Lehoux P. Comment favoriser la recherche clinique en pédo-psychiatrie? Une expérience de recherche-action collaborative. *Santé Mentale au Québec* 2001; 26(2) : 245-266.

Thorley G. The Bethlem Royal and Maudsley Hospitals' clinical data register for children and adolescents. *Journal of Adolescence* 1982; 5 : 179-189.

Thorley G. Factor study of a psychiatric child rating scale based on ratings made by clinicians on child and adolescent clinic attenders. *Br J Psychiat* 1987; 150: 49-59.

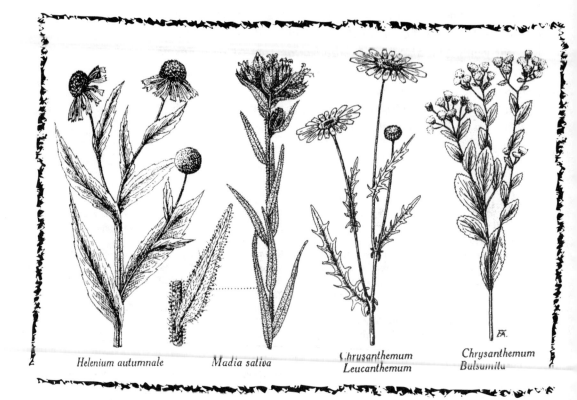

Helenium autumnale   *Madia sativa*   Chrysanthemum Leucanthemum   *Chrysanthemum Balsamita*

CHRYSANTHEMUM L. - CHRYSANTHÈME Chrysanthemum Leucanthemum L.- Marguerite

Nulle plante de l'ancien monde ne s'est plus complètement naturalisée que la Marguerite, qui couvre nos champs l'été et donne la note dominante au paysage. (...) On sait que le nombre des rayons de la Marguerite (comme chez la plupart des Composées ligulées) n'est pas fixe, mais oscille entre un maximum et un minimum, avec une moyenne présentée par le plus grand nombre des individus. C'est l'une des meilleures illustrations du phénomène de la fluctuation à l'intérieur de l'espèce. Une excellente leçon de choses, pour une classe de biologie élémentaire, consistera à faire compter par les élèves le nombre des rayons de mille capitules et à établir la courbe de variation. La comparaison de courbes obtenues dans les expériences faites en divers temps et divers lieux montrera que l'hérédité transmet non point une valeur particulière de la fluctuation, mais l'amplitude de la fluctuation, la courbe et ses paramètres. Le folklore de cette espèce est abondant et bien connu : jeunes gens et jeunes filles effeuillent une Marguerite pour savoir la vérité sur leurs amourettes; les formules varient à l'infini, mais le dernier rayon effeuillé donne toujours la réponse.

Flore Laurentienne Frère Marie-Victorin, É.C., Directeur-fondateur de l'Institut botanique de l'Université de Montréal.
Les Presses de l'Université de Montréal, 3e édition, 1995. Illustré par Frère Alexandre (Éd. originale, 1935).

prisme

prisme

PRISME

PRISME

PRISME

PRISME

Points de vue

Points de vue

n° 42

Recherche clinique et clinique de la recherche
Où il est question de planètes et de stations de ravitaillement

Jean-François Saucier Reconnaissons d'emblée que la relation entre clinicien et chercheur-clinicien a toujours été plus ou moins facile, sinon parfois pénible, dans toutes les branches des sciences médicales, et particulièrement en psychiatrie. Les uns se sentent souvent incompris ou mal perçus par les autres et cela provoque des frictions, voire des conflits sérieux. Essayons de cerner les divers paramètres de cette problématique relationnelle avant de proposer quelques voies de rapprochement.

Deux planètes en orbite

Afin de mieux comprendre en quoi la relation clinicien-chercheur est problématique, il est important de situer clairement les priorités de chacun des partenaires. Le *clinicien* ne traite pas des patients «typiques»; ceux qu'il rencontre quotidiennement sont tous différents par leur histoire unique, leurs particularités nombreuses, leurs co-morbidités fréquentes et leur motivation fluctuante à suivre le traitement. Le diagnostic «officiel» (selon le DSM-IV), qu'il faut poser, lui semble un pâle reflet d'une réalité physio-psycho-sociale très complexe et souvent en changement fréquent, en particulier en pédopsychiatrie.

Le clinicien efficace doit saisir les divers éléments de la réalité mouvante de son patient et s'y adapter le plus rapidement possible pour initier un mouvement thérapeutique significatif tout en gardant la confiance de ce même patient; c'est là son premier engagement.

Le clinicien doit être crédible auprès de ses pairs qu'il côtoie quotidiennement et avec qui il échange au sujet de ses difficultés et de ses succès et à qui il demande parfois conseil : c'est là son second engagement.

Chercheur et professeur titulaire au département de psychiatrie de l'Université de Montréal, l'auteur signe la Chronique de la recherche de cette revue depuis dix ans et il a publié de nombreuses recherches dans divers domaines en association avec des collaborateurs d'ici et de l'étranger.
Adresse : 3100, rue Ellendale Montréal (Québec) H3S 1W3

$\left(140\right)$

Le *clinicien* doit aussi maintenir sa crédibilité devant les diverses agences dont il dépend, la direction de son service, de son hôpital, de son association professionnelle, de son Collège, ainsi que vis-à-vis des personnes avec qui il lui arrive de coopérer, tels que les médecins d'autres spécialités, les collègues non médecins, etc.: c'est là son troisième engagement.

Le clinicien peut être appelé à s'impliquer dans la formation d'étudiants de divers niveaux, à les faire profiter de son expérience, à leur servir de modèle et même de mentor: c'est là son quatrième engagement.

De même, le clinicien devra lire les articles de recherche pour se garder au courant de l'évolution de son domaine et maintenir sa compétence, c'est là son cinquième engagement.

Enfin, le clinicien, s'il travaille dans un hôpital universitaire, *devrait* publier. Ce qu'on attend de lui est d'habitude l'histoire d'un cas particulièrement intéressant ou bien une réflexion sur une série de cas. Certaines revues scientifiques acceptent la publication de cas uniques mais elles exigent d'habitude une série de mesures objectives faites avant le début du traitement et une autre série de ces mêmes mesures après la fin du traitement. Or, la plupart du temps, le clinicien se rend compte de l'intérêt particulier d'un cas seulement après une certaine période de traitement, et du fait d'un manque de renseignements et de données antérieures au traitement, l'étude est contestée et sa publication souvent refusée par les comités de lecture. C'est ainsi qu'avec le peu de temps et d'énergie qui lui reste, le clinicien ne parvient qu'à publier très peu ou jamais.

De son côté, le *chercheur-clinicien* doit d'abord et avant tout publier s'il veut survivre sur sa propre planète; et ce qui est facultatif chez le clinicien devient une priorité absolue pour lui. Pour publier, le chercheur doit se plier aux exigences de plus en plus contraignantes des comités de pairs des revues les mieux cotées, c'est-à-dire rendre compte d'une recherche clinique crédible subventionnée par une agence de fonds dotée d'un comité de pairs. Il doit s'appuyer sur une perspective théorique élaborée, avancer des hypothèses précises, disposer d'échantillons homogènes et de tailles suffisamment grandes pour permettre des calculs statistiques significatifs, se munir d'échantillons randomisés pour éviter les biais, de mesures standardisées et procéder à un suivi d'un minimum de trois à six mois. Remarquons en passant que cette exigence de mesures standardisées n'implique pas une mise en doute du jugement clinique des cliniciens qui participent à la recherche, mais correspond plutôt à la nécessité de faire une comparaison valide entre les patients d'une même étude, entre des groupes de patients participant à une étude multi-sites ou entre des études faites ailleurs dans le monde.

Le *clinicien* pour sa part se sent souvent inconfortable vis-à-vis de ces mesures standardisées qu'il perçoit comme trop limitées et réductrices, et donc passant à côté d'aspects importants de la problématique des patients. Il pourra aussi se sentir mal à l'aise en lisant les rapports de recherche, rebuté par le jargon statistique et parfois ce qui lui semble un manque de signification clinique des résultats.

Quand il examine l'histoire du mouvement scientifique (voir Garel, 2002), le clinicien se met à penser que les constructions théoriques du chercheur ont évolué avec les époques et aussi imposantes soient-elles, qu'elles ne peuvent donner vraiment accès à la vérité des patients.

Le *chercheur* réplique ici que le clinicien n'a pas plus d'accès direct à la vérité du patient car il travaille auprès de celui-ci en s'appuyant sur une construction théorique qu'il a acquise lors de sa formation universitaire (construction théorique qui, d'ailleurs, provient le plus souvent de chercheurs cliniciens[1]) et à laquelle il reste souvent fidèle la plus grande partie de sa carrière. Le chercheur, pour sa part, peut rarement rester attaché à sa théorie car celle-ci est continuellement testée et contestée au cours de ses essais cliniques et de ses discussions avec d'autres chercheurs, et il doit donc la raffiner constamment.

Bref, il est évident que cliniciens et chercheurs vivent sur des planètes différentes. Selon les milieux, la distance entre ces planètes varie plus ou moins fortement, allant d'un voisinage assez proche, où malgré les tensions inhérentes à la différence des objectifs poursuivis, la relation est tout de même assez cordiale, jusqu'à une distance considérable où le rôle de chacun est contesté, voire même ignoré. Témoins de cet état de choses, un éditorial récent où le statut du chercheur clinicien est qualifié de « douloureux, pour ne pas dire illusoire » (Garel, 2002) et le Manifeste des états généraux récents de

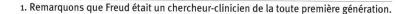

1. Remarquons que Freud était un chercheur-clinicien de la toute première génération.

la psychiatrie en France, qui enjoignait les cliniciens de « rester vigilants face à la fascination du scientisme » (voir le journal *Le Monde* « Les psychiatres demandent vingt mesures d'urgence », 10 juin 2003).

Une station de ravitaillement

Afin de combler le fossé d'incompréhension entre les deux planètes, des initiatives de diffusion de l'information regroupant cliniciens et chercheurs ont vu le jour, grâce en particulier au rayonnement d'Internet. Mentionnons, entre autres, celles de la Collaboration Cochrane (voir Lesage et al., 2001), de l'Université McMaster en médecine interne (voir Sackett et al., 1996) et de l'Université d'Oxford en psychiatrie (voir Geddes et Carney, 2001). Ces initiatives de diffusion de l'information utilisent pour la plupart une approche de la pratique fondée sur les données probantes (*Evidence-Based Medicine*) ou « médecine apodictique » (Bourgeois, 2000) et elles emploient largement la méthode de la méta-analyse (voir Streiner, 1991).

Ces groupes d'information sont d'avis qu'on ne peut plus concevoir la recherche clinique comme une activité qui, pour les cliniciens, selon les mots de Geddes et Carney (2001), « est intéressante quand elle s'accorde avec la pratique clinique mais rejetée quand elle ne le fait pas ». Pour ces groupes d'information, la recherche clinique doit être prise au sérieux par les cliniciens.

Des publications spécialisées, entre autres le *American College of Physicians's Journal Club,* ont vu le jour, notamment aux universités McMaster et Oxford où les résultats de recherche validés et cliniquement significatifs sont résumés et accompagnés d'un bref commentaire par un expert qui les situe dans le contexte de la pratique clinique.

Également en Angleterre, le *National Health Service* a mis à la disposition des cliniciens le « *National Electronic Library for Mental Health* » accessible sur Internet. Plus près de nous, le « *Journal Watch* » édité pour chaque spécialité par la *Massachusetts Medical Society* (maison-mère du *New England Journal of Medicine*), paraît chaque mois dans un format de huit pages, pour remplir cette fonction d'offrir une information brève et éclairée aux cliniciens. Dans cette même veine, les « *Journal Clubs* » sont apparus dans les divers institutions et hôpitaux où cliniciens et résidents discutent des recherches récentes. En Angleterre les divers collèges royaux, y compris celui de la psychiatrie, ont ajouté, comme obligatoire à la formation des résidents, une nouvelle étape dans l'examen final de certification consistant en la rédaction d'un mémoire de recension critique. Également, l'Université d'Oxford a créé un « *Centre for Evidence-Based Mental Health*» qui recrute 181 membres venant de 32 pays répartis sur les cinq continents (voir Geddes et Carney, 2001).

Parallèlement à ces modes de diffusion de l'information sont apparues dans diverses revues des recommandations de comités conjoints de cliniciens et de chercheurs («*consensus guidelines*») concernant des problématiques cliniques, consensus souvent basés sur des méta-analyses de recherches cliniques et procurant aux cliniciens des recensions critiques de ces dernières.

Ces initiatives de diffusion des résultats de recherches cliniques ont pour objectif, à partir d'un lieu aussi neutre que possible, de réduire la distance séparant les planètes des cliniciens et des chercheurs. Reconnaissons qu'elles ont eu un certain succès dans certains milieux mais assez peu dans plusieurs autres.

Une troisième planète

Les agents payeurs des soins de santé (ministères de la santé ou compagnies d'assurance) surveillent depuis longtemps le déroulement des systèmes de soins tout en le faisant discrètement de leur planète lointaine. Au cours des récentes années, celle-ci s'est déplacée graduellement, convergeant en direction des deux premières.

Une première initiative de nombreux gouvernements, y compris celui du Québec, a été de créer des conseils d'évaluation des technologies de la santé qui incluaient toujours dans leur évaluation une analyse des coûts économiques. Certains de ces conseils tendent maintenant à évaluer aussi les pratiques cliniques.

Parallèlement, les compagnies d'assurance, en particulier aux États-Unis, ont opté pour le «*managed care*» (gestion des soins) qui tend à restreindre l'accès à diverses procédures, y compris la psychothérapie, consentie pour des périodes limitées. Ces compagnies exigent de plus en plus souvent des diagnostics codés selon le DSM et leurs employés ne se gênent pas à l'occasion pour contester la validité des diagnostics médicaux.

Les agents payeurs sont de plus en plus au courant de la pratique fondée sur les données probantes et leur experts examinent de près les diverses méta-analyses publiées. Par exemple, le *National Health*

Service de Grande-Bretagne a commencé à les utiliser pour justifier des réductions de divers services médicaux. Il est possible que les agents payeurs, autant publics que privés, deviennent plus intrusifs et utilisent les méta-analyses pour refuser de payer certains types de traitements psychiatriques qu'ils jugeraient trop peu efficaces.

Une deuxième station spatiale

Or, justement, on relève diverses qualités de méta-analyses et diverses qualités de données probantes (voir, entre autres, Dongier, 2001, et Guérette, 2002), et les cliniciens ont raison d'être sceptiques quand ils constatent les résultats divergents de certaines méta-analyses sur un même sujet. Comment expliquer ces divergences troublantes? Un groupe d'auteurs spécialisés en épidémiologie clinique semblent être sur le point d'expliquer au moins en partie quelques-unes de ces divergences. À la suite de Schwartz et Lellouch (1967), des chercheurs comme Hotopf et al. (1999), Sackett et Gent (1979), Sackett et al. (1985), Streiner (2002), Lang (2003) et autres, ont distingué deux types d'essais cliniques randomisés et contrôlés, une distinction importante dont l'absence peut engendrer des confusions graves dans les méta-analyses. Ces deux types d'essais cliniques pourraient être perçus comme une suite de deux étapes dans l'évaluation de toute nouvelle méthode d'intervention clinique. La première étape, celle de l'évaluation de l'efficacité (*efficacy*), consiste à démontrer qu'une nouvelle méthode d'intervention (appelée intervention clinique «expérimentale») est supérieure à une méthode d'intervention courante (appelée intervention clinique « *standard* »). Pour arriver à cette démonstration, le chercheur définit une série extensive de critères précis d'inclusion et d'exclusion, les thérapeutes suivent des instructions élaborées, après une formation préalable, on fait appel à des assistants de recherche pour rappeler régulièrement aux patients les dates de leur rendez-vous, et souvent, on exclut des calculs statistiques les patients qui ont manqué trop souvent ou qui se sont désistés. Bref, le chercheur prend toutes les précautions pour arriver à une comparaison valide entre les deux interventions utilisées. Ainsi, on peut juger de l'efficacité comparative de celles-ci. Cette première étape est nécessaire et parfaitement légitime, mais la grande erreur est d'en rester là.

Car dans la « *vraie vie* », aucune clinique psychiatrique ne peut éthiquement refuser de traiter la majorité de ses patients parce qu'ils ne répondent pas à une longue liste de critères d'inclusion et d'exclusion. De même, aucune clinique ne peut se payer le luxe de rappeler régulièrement aux patients la prochaine date de leur rendez-vous, etc., et d'ailleurs, quand un patient se désiste, il est considéré comme un échec (voir Lang, 2003). Il faut donc tester aussi dans la «vraie vie», ou de «façon pragmatique» les méthodes d'intervention nouvelles qui se sont révélées plus efficaces à la première étape. Cette deuxième étape, qui est cruciale pour le clinicien, est celle de l'«utilité effective[2]» (*effectiveness*), et se rapproche de la pratique courante. En effet, il arrive qu'une nouvelle intervention, qui s'est révélée plus efficace dans la première étape, se révèle comme n'ayant pas plus d'*utilité effective*, ou même parfois moins, lors de la deuxième étape. Pour revenir aux méta-analyses, je pose l'hypothèse que les résultats fréquemment divergents de celles-ci seraient dus, en partie, à l'inclusion d'un mélange d'études de première et de deuxième étapes dans certaines de ces analyses.

Et c'est ici que le rôle des cliniciens devient crucial. Ils doivent devenir extrêmement vigilants quand les comités d'experts de la première station spatiale leur font des recommandations; ils devraient exiger que, seules, les études d'utilité effective soient répertoriées dans les méta-analyses utilisées par ces comités avant de proposer des recommandations, et que, seules, les études de deuxième étape soient considérées comme des données probantes.

Enfin, allons plus loin que ce comportement réactif aux actions venant de l'autre. Suggérons que les cliniciens prennent l'initiative et proposent aux chercheurs de les rencontrer sur une deuxième station spatiale pour élaborer ensemble, dès les tout premiers temps, des projets novateurs de deuxième étape. Le fait de se rencontrer dans un tel lieu ne fera pas disparaître magiquement les tensions et les difficultés qui sont inhérentes au fait que cliniciens et chercheurs continueront toujours d'être différents en raison de priorités spécifiques à leurs fonctions respectives. Mais parions qu'il vaudrait la peine de tenter de telles rencontres dans un lieu intermédiaire où chacun se sente plus à l'aise dans la mesure où cet espace pourrait se révéler un espace de pensée, de créativité, de liberté.

---

2. Je remercie Denise Marchand pour cette traduction du mot « *effectiveness* ».

Références

Bourgeois ML. Médecine apodictique et médecine empirique : la place de l'EBM (Evidence-Based Medicine). *L'encéphale* 2000; 26 :1-2.

Dongier M. Evidence-Based Psychiatry : The pros and cons. *Can J Psychiat* 2001; 46 : 394-395.

Garel P. Les mondes sans fenêtre. *PRISME* 2002; 38 : 6-20.

Geddes J, Carney S. Recent advances in evidence-based psychiatry. *Can J Psychiat* 2001; 46(5) : 403-406.

Guérette L. Bienfaits et méfaits de la médecine fondée sur l'évidence. *Le Compte à Rebours* 2002; 10(27) : 2-3.

Lang E. Le principe de vouloir traiter : une fois randomisée, toujours analysé. *Médactuel* 2003; 3(9) : 27-29.

Lesage AD, Stip E, Grunberg F. "What's up doc": les contextes, les limites et les enjeux de la médecine fondée sur les données probantes pour les cliniciens (Evidence-Based Medicine). *Can J Psychiat* 2001; 46(5) : 396-402.

Sackett DL, Haynes RB, Tugnell P. *Clinical Epidemiology : a Basic Science for Clinical Medicine.* Boston: Little Brown, 1985.

Sackett DL, Rosenberg WMC, Gray JAM. Haynes R. *Br Med J* 1996; 312:71-72.

Streiner DL. Using meta-analysis in psychiatric research. *Can J Psychiat* 1991; 36(5) : 357-362.

Streiner DL. The two "Es" of research: efficacy and effectiveness trials. *Can J Psychiat* 2002; 47(6) : 552-556.

Grandeurs et misères de la recherche clinique appliquée

Jacques Lacroix

La recherche clinique appliquée est un domaine scientifique extraordinaire. Cependant, il faut reconnaître qu'elle comporte quelques grandeurs et quelques misères. J'ai eu la chance de développer peu à peu un programme de recherche clinique appliquée et ce sont mes commentaires concernant cette expérience que je compte résumer dans cet article.

Il faut avant tout s'entendre sur le sujet dont il sera question. La recherche clinique appliquée telle que nous l'entendrons implique l'épidémiologie clinique et la recherche évaluative. On pourrait aussi à la rigueur considérer que la pharmacologie clinique, l'éthique, la pédagogie et quelques autres domaines scientifiques du même genre font partie de la recherche clinique appliquée. Dans tous les cas, les recherches en question ont pour but immédiat d'améliorer les soins prodigués aux patients. La recherche clinique appliquée porte donc directement sur des patients, sur ceux qui les soignent ou sur le système de santé responsable d'en prendre charge.

Il faut prévoir trois étapes avant que les résultats de la recherche clinique puissent s'appliquer. Il faut d'abord produire un savoir clinique qui puisse s'appliquer (les anglophones parlent de *knowledge generation*). Il faut ensuite extraire correctement et savoir évaluer les données de la littérature (les anglophones parlent de *knowledge evaluation*). La troisième étape consiste à faire en sorte que les données générées et les données évaluées soient appliquées aux malades (les anglophones parlent de *knowledge implementation*). La recherche clinique appliquée comprend ces trois domaines. En fait, c'est elle qui nourrit ce qu'on appelle la «*médecine basée sur les faits*», encore dénommée «médecine probante».

L'auteur est professeur titulaire au Département de pédiatrie et rattaché au service des soins intensifs du CHU Sainte-Justine, Université de Montréal.
Adresse : 3175, Côte Sainte-Catherine Montréal (Québec) H3T 1C5
Courriel : jacques_lacroix@ssss.gouv.qc.ca

(148)

Difficultés

Un jeune chercheur qui veut entreprendre une carrière en recherche clinique appliquée doit surmonter un certain nombre d'obstacles qui varient selon le milieu où il se trouve et selon le soutien qu'il obtient pour démarrer ses recherches. Il faut quelque part qu'il puisse disposer d'un secrétariat adéquat, d'un service de gérance des données de qualité, du financement voulu, de consultants experts en statistiques et en épidémiologie, et d'un groupe de recherche qui s'intéresse aux méthodologies de la recherche clinique appliquée et qui feront en sorte que le jeune chercheur soit au fait et maintienne ses connaissances en méthodologie. Il faut aussi bien sûr que le jeune chercheur en question ait développé une expertise sur un sujet clinique précis. C'est l'adjonction de l'expertise clinique et de l'expertise méthodologique qui peut rendre un jeune chercheur assez compétent pour qu'il obtienne du financement pour les recherches auxquelles il veut se consacrer.

Le financement peut constituer un autre problème. Dans le passé, on pouvait passer directement d'une molécule trouvée en laboratoire à un essai clinique fait auprès de patients. Cette époque est passablement révolue. À l'heure actuelle, il faut souvent faire un bon nombre d'études préliminaires avant de pouvoir faire l'essai clinique. Ce n'est pas sans raisons. Par exemple, il était autrefois accepté que l'on puisse évaluer la taille de l'échantillon d'une étude en se basant sur des hypothèses sans devoir connaître les données véritables concernant la fréquence d'un phénomène donné, les moyennes observées et les écarts types réels. Ceci n'est plus accepté par les organismes subventionnaires qui exigent des chercheurs qui entreprennent un grand essai clinique multicentrique, que soit connue l'incidence réelle de la maladie et de ses complications afin de mieux évaluer la taille de l'échantillon en toute connaissance de cause. Ces organismes exigent aussi que soient bien connus les facteurs de risque de la maladie afin de pouvoir vérifier de façon scientifique si les groupes randomisés sont effectivement semblables. De plus, ils exigent souvent du chercheur qu'il ait vérifié la faisabilité de l'essai clinique en question. C'est donc dire que les grands essais cliniques multicentriques, souvent, ne seront subventionnés qu'après qu'une étude épidémiologique descriptive ait été faite, puis qu'un essai clinique pilote ait été réalisé. Le problème de financement vient du fait qu'il existe bien peu d'organismes subventionnaires qui soient prêts à financer des études pilotes et des études préliminaires. Certains milieux universitaires fournissent de tels fonds et quelques organismes subventionnaires le font aussi. Il reste qu'il est généralement difficile de financer de telles études. Dans la pratique, les études pilotes et les études préliminaires sont souvent subventionnées par les universités ou par les hôpitaux où travaillent les chercheurs en recherche clinique appliquée.

La dernière difficulté vient du fait que certains centres de recherche ne comprennent pas vraiment les besoins des jeunes chercheurs intéressés à faire de la recherche clinique appliquée. Plusieurs centres sont plus à même de subventionner et de comprendre les besoins d'une personne qui fait de la recherche fondamentale. Il ne faut pas en être surpris, car la recherche clinique appliquée n'a pris son envol que dans les années '80, bien après la recherche fondamentale. Il faut aussi reconnaître que l'accueil réservé à certains chercheurs qui se sont donnés la peine de se former en recherche clinique appliquée est loin d'être optimal dans bien des milieux.

Solutions aux problèmes

L'avenir de la recherche clinique appliquée semble malgré tout fort prometteur. De nombreux milieux universitaires ont créé des unités de recherche clinique et évaluative (URCE) dont la renommée fait déjà l'envie d'autres milieux. Ces unités offrent aux jeunes chercheurs les services nommés plus haut, comme les services de secrétariat, de gérance de données, d'expertise en statistiques et en épidémiologie et même de soutien et de surveillance des étudiants en recherche clinique appliquée. Les milieux les plus à l'avant-garde créent en bonne et due forme une unité de recherche clinique évaluative reconnue par l'hôpital et par le Centre de recherche, unité qui reçoit sa part de financement de l'hôpital et du Centre de recherche. De telles unités existent non seulement au Canada, mais aussi en d'autres pays. Cependant, ces unités sont souvent hospitalières au Canada, alors qu'elles sont souvent inter-hospitalières et même parfois inter-universitaires dans d'autres pays.

Par ailleurs, il faut souligner qu'il existe de plus en plus de fonds de recherche offerts par des organismes subventionnaires qui, autrefois, n'osaient réserver les fonds en question à des projets en recherche clinique appliquée. C'est le cas par exemple des Instituts de Recherche en Santé du Canada qui ont décidé, entre autres, de créer un comité spécial pour financer les grands essais cliniques multicentriques. L'idée des Instituts de Recherche en Santé du Canada était de réserver un certain pourcentage des fonds disponibles à des essais cliniques. Ils ont créé ce comité après avoir réalisé que les comités existants n'accordaient presque jamais de fonds à de tels essais cliniques, préférant plutôt subventionner des projets en recherche clinique fondamentale. Maintenant, ce sont des fondamentalistes qui révisent les projets en recherche fonda-mentale, et des experts en recherche clinique appliquée qui évaluent les essais cliniques randomisés. Les résultats ne se sont pas fait attendre, comme le prouve le fait que plusieurs grands essais cliniques multicentriques ont été subventionnés au Canada au cours des dernières années et que plusieurs d'entre eux ont donné lieu à des publications dans des revues de grand prestige.

Un jeune chercheur a aussi besoin d'un mentor, du moins à son arrivée. Le mentor doit aider le jeune chercheur à peaufiner les connaissances qu'il a du sujet de recherche clinique qui l'intéresse, à préparer ses demandes de fonds, à écrire ses articles et à obtenir des fonds. Un tel mentor doit avoir une certaine expérience des orga-nismes subventionnaires et des revues scientifiques. Idéalement, il devrait avoir obtenu lui-même des fonds de recherche, avoir publié un nombre significatif d'articles et même, avoir eu l'occasion de réviser un grand nombre d'articles scientifiques. Il devrait être en mesure de faire partager toute l'expérience qu'il a acquise et d'en faire profiter le jeune chercheur en question.

Opportunités

La recherche clinique appliquée offre plusieurs avantages qu'il faut souligner. C'est la recherche clinique appliquée qui peut le mieux répondre à des questions pratiques qui émanent des observations faites auprès de patients. Ce genre de questions peut parfois être étudié par des médecins en solo, mais souvent il est préférable d'impliquer des experts provenant de plusieurs disciplines diffé-rentes, comme le milieu infirmier, la pharmacie, la pharmacologie, la physiothérapie et bon nombre d'autres disciplines de soignants œuvrant auprès de malades.

La recherche clinique appliquée peut aussi répondre à des questions générées en laboratoire. Elle peut donc servir de lien entre le patient et la recherche fondamentale. Finalement, la recherche clinique appliquée constitue un autre moyen pour faire connaître les connaissances acquises à ceux qui pourraient appliquer ces connaissances. En fait, la recherche clinique appliquée nourrit les professeurs qui veulent que les générations futures de soignants agissent en toute connaissance de cause en se basant sur les données de la littérature.

Le financement de la recherche clinique appliquée devrait s'avérer de plus en plus facile au cours des prochaines années et le contexte futur pourrait s'avérer encore meilleur qu'il n'y paraît à première vue. En effet, certaines institutions comme le gouvernement du Québec ont décidé d'imposer aux hôpitaux universitaires la mission de s'intéresser à la recherche évaluative afin de rendre plus scientifique l'application des nouvelles technologies rendues disponibles par la recherche. Cette mission des hôpitaux ne pourra se faire sans le soutien de gens experts en recherche clinique appliquée. Des fonds ont été versés par certains gouvernements pour aider les hôpitaux à remplir cette tâche. Ces fonds pourraient donc aider à la création ou à la mise sur pied d'une unité de recherche clinique et évaluative.

Je me permets d'ajouter une remarque un peu plus philosophique concernant la recherche clinique appliquée. Ce domaine de la recherche est plus accessible aux soignants qui travaillent réellement avec des malades. Il est en effet plus normal que des soignants s'intéressent à des données qu'ils peuvent appliquer eux-mêmes, plutôt qu'à des données obtenues en recherche fondamentale. De plus, les activités en recherche clinique appliquée faites dans un milieu donné peuvent contribuer à faire se répandre une certaine culture scientifique qui devrait améliorer la qualité et le choix des soins prodigués aux malades.

Conclusion

Une carrière en recherche clinique appliquée peut paraître difficile à un jeune chercheur qui en est à ses débuts. Il reste que la situation s'est grandement améliorée au cours des dernières années, du moins dans certains milieux. Plusieurs obstacles ont été abolis et de nouvelles opportunités se profilent à l'horizon. En outre, le prestige de la recherche clinique ne cesse d'augmenter et son rôle est de plus en plus reconnu par les praticiens. L'avenir de la recherche clinique appliquée me semble extrêmement prometteur. D'ailleurs, je m'attends à ce que l'impact de ce genre de recherche sur les soignés et les soignants, ainsi que sur les étudiants intéressés par un aspect ou un autre de la médecine, s'avère déterminant au cours des prochaines années.

n° 42

Pour une meilleure synergie entre les disciplines

Les sciences de la vie (médecine, biologie, génétique, biochimie, etc.) ont connu un formidable développement au cours de la dernière décennie. Le séquençage du génome humain et l'identification de gènes responsables de nombreuses maladies ne sont que l'aspect le plus visible de ce développement. Parallèlement à ces découvertes très médiatisées, l'étude des variations génétiques des populations humaines et l'élucidation des fonctions des protéines ont elles aussi fait des progrès importants ouvrant la voie à la génomique et à la protéomique.

Claude Marineau
Guy A. Rouleau

Aujourd'hui, les frontières sont parfois bien minces entre ces disciplines et, souvent, elles se chevauchent en grande partie. Malgré ces changements dans les champs d'études, et sans doute à cause de la rapidité de ces changements, nous n'avons pas assisté à une modification parallèle de l'organisation de la recherche. Sauf pour quelques cas, la recherche se divise toujours en deux grands groupes : recherche clinique et recherche fondamentale (Fischer; Bromley, 1999). D'un côté, les cliniciens rencontrent les patients, étudient leurs symptômes, les classent en maladie et évaluent de nouveaux traitements. Tandis que d'autre part, dans leur laboratoire souvent situé loin des cliniques médicales, les fondamentalistes, qu'ils soient biologistes ou biochimistes, travaillent à comprendre le fonctionnement de la machine humaine. Ces deux groupes ont chacun leur langage spécifique, leur mode de fonctionnement et, bien souvent, ne se parlent que rarement. Tout comme ils ne fréquentent pas les mêmes congrès ni ne publient leurs résultats dans les mêmes revues. Alors qu'il est plus que jamais nécessaire de

Claude Marineau est directeur de projet au Laboratoire de neurogénétique à l'Institut de recherche du Centre universitaire de santé mentale affilié à l'Université McGill. Guy A. Rouleau est professeur au Département de neurologie et neurochirurgie de l'Université McGill.
Adresse : CUSM – Site Montreal General 1650, Cedar Montréal (Québec) H3G 1A4.

$\left(153\right)$

traduire en termes biologiques les symptômes et, à l'inverse, de traduire la biologie en termes médicaux.

Pourtant, les connaissances aujourd'hui accumulées par les différents domaines de recherche peuvent avoir des conséquences dans de nombreux autres champs d'étude. Mais comment faire circuler cette information? Comment la rendre accessible et compréhensible par des médecins et chercheurs d'autres domaines? Pour ce faire, nous croyons qu'il est très important d'éliminer les séparations entre les différents domaines de recherche, particulièrement cette vieille barrière clinique/fondamentale, pour mettre en place une structure qui facilite le transfert des connaissances entre les différents groupes de recherche. Le lieu idéal pour créer cet environnement est le centre de recherche en milieu hospitalier. Afin d'illustrer l'importance d'une plus grande intégration de la recherche, nous utiliserons un exemple concret issu de nos travaux sur une forme spécifique de neuropathie. La neuropathie sensitivomotrice héréditaire avec ou sans agénésie du corps calleux (NSMH/ACC) est une maladie génétique récessive que l'on retrouve principalement dans les régions du Saguenay – Lac Saint-Jean et de Charlevoix. Cette maladie, qui affecte les enfants dès la naissance, se caractérise entre autres par un retard du développement moteur, une atteinte cognitive progressive, une hypo-tonie, une amyotrophie, une aréflexie tendineuse et une polyneu-ropathie sensitivomotrice. Environ 39 % des personnes atteintes développe des épisodes psychotiques vers l'âge de 15 ans et les deux tiers des patients montrent une agénésie partielle ou complète du corps calleux. Récemment, notre laboratoire a montré que tous les patients québécois étudiés portaient une mutation au niveau du gène SLC12A6 (Howard et al., 2003). Ce gène code pour la protéine KCC3, un canal ionique que l'on retrouve dans différents tissus tel que le rein, le muscle et le cerveau et dont le rôle dans la maladie reste inconnu. Du point de vue de la recherche, cette maladie représente un phénomène biologique particulièrement intéressant : ce gène défectueux cause une maladie qui est à la fois développe-mentale et neurodégénérative de même qu'elle affecte les systèmes nerveux central et périphérique.

De toute évidence, ces nouvelles données intéresseront les cliniciens qui y verront un nouveau moyen de faciliter le diagnostic, les généti-ciens qui pourront envisager un dépistage des porteurs de ce gène et les biologistes qui s'intéressent au développement neuronal et à la neurodégénération. Historiquement, chacun de ces groupes aurait mis en place un projet de recherche spécifique et, après quelques années d'effort, aurait publié ses résultats dans des revues spécialisées. Cette façon de procéder n'est pas mauvaise en soi. Toutefois, nous croyons qu'il est possible de faire plus en favorisant un partage des connaissances et en diversifiant l'équipe de recherche. Par exemple, sachant que KCC3 est présente dans le rein, des néphrologues pourraient se joindre à l'équipe et se demander si les mutations observées affectent la fonction rénale et si des problèmes similaires existent dans d'autres maladies. De la même façon, comme les symptômes de la maladie sont variables d'une personne à l'autre, des épidémiologistes pourraient travailler à identifier des facteurs environnementaux qui influencent, par exemple, le développement de l'agénésie du corps calleux. Comme l'agénésie est un défaut développemental relativement fréquent, les résultats obtenus pourraient amener à une meilleure compréhension d'autres maladies et avoir ainsi un impact sur la santé publique. Enfin, il serait intéressant de comprendre pourquoi certains patients développent des psychoses et si celles-ci partagent des points communs avec des psychoses observées dans d'autres maladies.

Comme nous le voyons, le but est de faire éclater les frontières entre les disciplines. Bien que la neuropathie soit au départ une maladie neurologique, son étude ne doit pas demeurer confinée à cette spécialité. L'information acquise peut être porteuse de progrès et ce, dans plusieurs domaines. Pour cela, elle doit être diffusée plus largement et, surtout, intégrée et comprise par les autres groupes de recherche. Nous croyons qu'il est possible de mettre en place une structure qui favorisera la synergie entre les différentes disciplines et qui utilisera les données accumulées par chacune. L'objectif alors n'est plus seulement d'étudier une maladie particulière mais de comprendre comment un gène défectueux provoque les symptômes observés, comment il affecte les tissus qui semblent normaux, comment il interagit avec l'environnement pour moduler les symptômes et éventuellement comment envisager de remédier à son effet. Quels sont les facteurs qui sont nécessaires à l'atteinte de cet objectif? À cette synergie?

Historiquement, les médecins ont largement limité leurs échanges en faveur de leurs pairs, tandis que les fondamentalistes, même en milieu hospitalier, ont trop souvent travaillé en ignorant le monde clinique qui les entoure. Ce constat n'est pas unique au Québec, il a été observé autant en France qu'aux États-Unis (Bromley, 1999; Delattre, 2000). Chaque groupe a ses revues, ses congrès et généralement se fréquente très peu. C'est cette division, qui limite la traduction de la recherche fondamentale en applications cliniques, qu'il faut revoir. Les fondamentalistes doivent côtoyer les cliniciens et vice-versa; il doit y avoir des interactions profondes et significatives. Nous suggérons donc la mise en place de groupes de recherche multidisciplinaires intégrés : biologistes, épidémiologistes, généticiens et cliniciens qui travailleront en étroite collaboration et se rencontreront fréquemment. Il faut aussi que ces personnes puissent se comprendre et partager leurs connaissances. Il s'agit là sans doute du plus grand défi. Il pourra être relevé s'il existe au sein du groupe de recherche intégré une (ou des) personne dont le rôle sera de réunir les disciplines et de mettre en place un dialogue qui favorisera les échanges et les collaborations. Par exemple, il faudra traduire le langage du psychiatre en terme de biologie, celui du généticien en mesures épidémiologiques, celui du clinicien en données fondamentales, etc. Quand tous partageront cette langue commune, la communication sera facile et les échanges plus riches. Il y aura une meilleure intégration de la recherche et les applications des découvertes fondamentales aux problèmes cliniques seront plus rapides. Citons Jean-Yves Delattre pour qui ces équipes auront « en main les cartes du futur » (Delattre, 2000). La personne la plus apte à remplir ce rôle est le clinicien-chercheur. En cumulant la fonction du clinicien qui rencontre les patients et observe leurs symptômes et celle du chercheur qui s'intéresse aux données fondamentales, cette personne pourra aisément faire le pont entre les domaines et assurer ainsi une plus grande circulation de l'information. La personne appelée à remplir ce rôle devra être un chercheur accompli ayant depuis longtemps montré un intérêt pour des disciplines variées. En tant que coordonnateur d'une équipe de recherche, cette personne devra savoir réunir des gens aux intérêts divers mais partageant un désir et une vision commune : faire progresser la recherche par l'intégration des disciplines.

À l'heure ou Internet offre un réseau planétaire de communication, il n'y a aucun obstacle à ce que la recherche, qui a créé Internet, utilise cette analogie pour son propre développement. Toutefois, un réseau n'a aucune utilité si les différents constituants ne peuvent se comprendre. Il faut donc mettre en place des foyers d'échanges mais aussi, et peut-être surtout, traduire les langues des différentes disciplines dans une langue commune. Avant d'atteindre cette parfaite communication entre les disciplines, il sera essentiel de pouvoir compter sur un «traducteur». Le rôle du clinicien-chercheur sera de comprendre chaque discipline et d'en traduire les concepts afin que tous participent à la recherche, quelle que soit leur expertise initiale. De cette façon, les symptômes observés en clinique seront traduits en projets de recherche fondamentaux dont les résultats pourront servir à mieux diagnostiquer et traiter les patients. D'ailleurs, cette évolution est essentielle pour accélérer le passage de la recherche fondamentale aux applications cliniques, ce que les gouvernements et le public attendent avec une impatience grandissante.

Note

1. L'IRCS et le FRSQ, de même que plusieurs autres organisations, reconnaissent l'apport des cliniciens-chercheurs en leur offrant des programmes de formation spécifiques.

Références

Bromley E. The Evolving Relationship between the Physician and the Scientist in the 20th Century. *JAMA* 1999; 281(1) : 95-99.

Delattre JY. Cliniciens et chercheur : la nécessaire union. Convergences janvier 2000. Source: *http://www.ifrns.chups.jussieu.fr/conv_oo.pdf*

Entretien avec **Alain Fischer**. Source: *http://picardp1.ivry.cnrs.fr/Fischer.htm*

Howard HC, Dupré N, Mathieu J, Bouchard JP, Rouleau GA. La neuropathie sensitivo-motrice héréditaire avec agénésie du corps calleux. *Med Sci* 2003; 19 : 414-416.

La recherche clinique:
questionner, mesurer, reproduire

Eric Fombonne

Informé des tentatives passées souvent infructueuses de définir la recherche clinique, je n'avais accepté qu'avec réticence d'écrire une post-face à ce dossier de PRISME. J'aurais dû refuser. Les articles inclus dans ce volume couvrent un champ immense allant de l'éthique à l'épidémiologie, en passant par l'économie de la santé, la recherche appliquée et que sais-je encore. Loin de définir plus fermement l'objet du volume, et donc de cette post-face, la lecture pourtant passionnante de chacune des contributions individuelles a échoué à me faire cerner une thématique commune sur laquelle asseoir mon commentaire. Me sentant ainsi libre d'élucubrer sur le thème de mon choix, ma tâche en est cependant facilitée.

Les difficultés à cerner de près la recherche clinique ne sont pas nouvelles et ont donné lieu à des débats serrés dans la littérature médicale non psychiatrique et épidémiologique. Cependant, force est de constater que la tension implicite contenue dans le terme '*recherche clinique*' est particulièrement forte dans ce dossier et, de manière plus générale, dans le domaine de la psychiatrie. Si l'on regarde les autres spécialités médicales, on observe aisément un continuum de carrières et d'activités sur lequel, entre les pôles extrêmes de la recherche fondamentale et de la clinique, se situent des pratiques mixtes qui font des emprunts variés aux deux horizons : du clinicien qui participe à des activités de recherche, au clinicien chercheur qui conduit sa propre investigation, au chercheur clinicien qui développe un programme de recherche sur une maladie, au chercheur qui utilise des observations ou du matériel cliniques pour investiguer des mécanismes. Au-delà des problèmes occasionnels de voisinage que ces individus et ces pratiques hybrides engendrent,

Professeur de psychiatrie et directeur du Département de psychiatrie de l'Hôpital de Montréal pour Enfants, Université McGill, l'auteur est titulaire de la Chaire de Recherche du Canada en psychiatrie de l'enfant.
Adresse : 4018, Ste-Catherine Ouest Montréal (Québec) H3Z 1P2
Courriel : eric.fombonne@mcgill.ca

il est évident que ce gradient est nécessaire, qu'il emprunte simultanément aux domaines de la recherche et de la clinique des compétences dans des configurations nuancées et synergiques, que les différences sur ce continuum sont de degré et non de nature, et que tous les acteurs contribuent à un effort commun : celui de produire des connaissances nouvelles. Ainsi, il ne viendrait à l'esprit d'aucun médecin clinicien de critiquer le principe et la nécessité des essais thérapeutiques, le besoin d'études épidémiologiques pour identifier les facteurs de risque des maladies, ou la recherche de gènes associés à certaines d'entre elles, dans le monde médical psychiatrique. Et il est important de noter au passage que les remarques sur les contraintes réductionnistes de la recherche ou sur la question de la transférabilité des acquis de la recherche à la pratique clinique quotidienne s'appliquent pleinement à la médecine et ne sont en rien spécifiques de la psychiatrie.

En psychiatrie, et spécialement dans le domaine de la psychiatrie de l'enfant, il semble que ce consensus ne soit pas encore acquis. Ainsi, la recherche et la clinique sont présentées par certains comme des activités antinomiques, parfois irréconciliables, et en tout cas polarisées. Il n'est pas anodin de remarquer que ce point de vue est en général celui de cliniciens qui n'ont que peu ou pas d'expérience de la recherche dont ils critiquent le réductionnisme, les protocoles contraignants, les mesures 'objectivantes' et chantent les louanges de la valeur holistique de la Clinique, avec un grand C.

Il y a deux difficultés fondamentales avec cette position. Premièrement, elle ignore que de très nombreux chercheurs sont aussi des cliniciens, pas moins cliniciens que les cliniciens non chercheurs. Je fais partie de cette catégorie et je peux témoigner que mes activités de recherche sont précisément ce qui a fait évoluer pour le mieux ma pratique clinique, comme c'est le cas pour nombre de mes collègues. La tension entre recherche et clinique n'existe pas pour moi en dehors des pressions compétitives que l'une et l'autre exercent sur mon agenda. En Angleterre, où j'ai passé dix ans de ma vie professionnelle, l'idée d'organiser un débat contradictoire entre recherche et clinique semblerait inconcevable à nos collègues pédopsychiatres. Deuxièmement, l'idée que la pratique clinique peut *en tant que telle* faire avancer nos connaissances est fallacieuse. La Clinique n'est pas générative de connaissances nouvelles à moins qu'on ne l'altère dans certains aspects fondamentaux. C'est vrai de la médecine, et c'est vrai de la psychiatrie moderne. L'histoire de la psychiatrie abonde d'exemples de techniques, modèles théoriques et interventions dont les praticiens étaient fermement convaincus du bien-fondé (les cures d'insuline dans la schizophrénie, la sécrétine dans l'autisme, etc.) et qui n'ont pas résisté à une investigation rigoureuse, méthodique de leur valeur explicative. Les exemples abondent dans le domaine des interventions psychosociales et psychothérapiques. Il faut autre chose qu'une 'conviction' ou une 'expérience' clinique pour produire des connaissances. Pour cela, des conditions particulières sont requises qui imposent au clinicien de modifier son activité naturelle (soigner des patients) pour y parvenir. C'est précisément là que commence la recherche clinique. En un sens, la recherche clinique pourrait entièrement se définir par le type de modifications que doit imposer à sa pratique clinique celui qui veut tester des hypothèses et produire des connaissances. Cette définition différentielle est néanmoins passive et pas assez informative sur les contenus de la recherche clinique.

Quels sont donc les ingrédients d'une activité médicale qui la qualifient pour être de la 'recherche clinique'? À mes yeux, trois éléments sont nécessaires: poser une question, collecter des données pour répondre à cette question, et mettre ses résultats dans un format communicable et reproductible.

Le premier élément implique un *mind set*, une attitude, par laquelle un clinicien décide de ne plus se satisfaire seulement de faire son travail quotidien, et identifie des questions utiles à sa discipline et pour lesquelles il veut apporter des réponses. Les questions n'ont pas besoin d'être compliquées – comme de trouver les gènes impliqués dans les maladies bipolaires, ou de comparer l'efficacité relative de deux agents thérapeutiques... Même modestes, les questions sont respectables (Est-ce que les patients défavorisés de ma communauté ont un accès égal aux services de ma clinique? ou qu'advient-il, trois ans plus tard, des enfants anxieux que j'ai traités?).

On le voit, trouver la réponse à certaines questions n'entraînera pas nécessairement l'accès à d'importants fonds ou moyens de recherche, ni la publication ultérieure des résultats dans des revues prestigieuses. Ce qui compte ici est de circonscrire une question précise qui puisse apporter un savoir nouveau. L'inaccessibilité des fonds des instituts de recherche ou le manque de moyens ne peuvent pas justifier à eux seuls l'inertie. D'autre part, définir une question précise implique un mouvement de la part de l'investigateur qui concentre son observation sur un aspect choisi de sa pratique, en se limitant à une ou quelques variables d'étude pertinentes pour la question posée, en somme à réduire le champ de son investigation.

Le second élément implique un mouvement vers l'extérieur pour collecter des données et de l'information. En d'autres termes, l'investigateur ne peut se contenter, pour répondre à cette question, de recourir à une théorie existante ou à une consultation auprès de maîtres ou d'autorités, même si ceux-ci sont acceptés par la majorité comme la référence la plus importante. Dans les exemples cités ci-dessus, il est facile de voir quelles informations devront être collectées pour répondre à la question posée. Parfois, les informations nécessaires seront disponibles d'emblée, parfois il faudra mettre en place des dispositifs *ad hoc* pour les collecter. Des choix, bons ou mauvais, sur le type de données et le mode de recueil devront avoir lieu, mais sans données, il n'y aura pas de réponse à la question posée. La nature de la question posée dictera le protocole de recueil des données. Ce protocole peut être très simplifié dans une étude descriptive transversale (exemple des patients défavorisés) ou très contraignant (comme dans un essai thérapeutique en double aveugle) ou intermédiaire (comme dans une étude longitudinale). Les articles de Fortier et de Nadeau (voir ce dossier) illustrent des aspects importants de ce processus de collecte de l'information pour mener ou faciliter une démarche de recherche. Le développement d'outils pour collecter systématiquement des données cliniques, tels que des bases de données cliniques (voir Nadeau, dans ce dossier), facilite la réponse à ce besoin.

Le troisième élément reflète un souci de mesure, de communication, de généralisation et de reproductibilité que tout investigateur doit avoir en recherche, clinique ou autre. Toute activité de recherche peut se résumer de façon générique à l'évaluation de la relation entre au moins deux variables (et souvent de nombreuses variables). Est-ce que cette thérapie améliore le patient? Est-ce que la comorbidité affecte négativement le pronostic? Est-ce que ce trouble psychiatrique est associé à une mortalité accrue? L'examen des relations entre ces variables, que la relation soit présupposée causale ou non, implique l'existence d'un appareil de mesure pour chacune des variables envisagées. Ici, le choix n'est pas entre mesurer ou ne pas mesurer, mais plutôt entre mesurer vaguement et mal ou mesurer avec des procédures explicites et reproductibles. La validité et la fiabilité (*reliability* en anglais) des mesures doivent être estimées et démontrées. Plusieurs instruments existent désormais dans notre discipline qui ont des qualités suffisantes, même s'ils sont loin d'être parfaits. Même le jugement clinique global peut être utilisé *si l'on en mesure les propriétés*. Par exemple, la fiabilité (c'est-à-dire la reproductibilité) du jugement diagnostique a été évaluée dans plusieurs domaines de notre discipline, comme la schizophrénie, le TDAH ou encore l'autisme. Le jugement clinique, dans un but diagnostique ou d'évaluation des résultats, n'est qu'un instrument de mesure parmi d'autres dont on peut et doit mesurer les propriétés. D'ailleurs, il est parfaitement légitime pour les usagers de nos services d'attendre que deux cliniciens, confrontés au même matériel clinique, devraient aboutir à la même conclusion. La différence entre clinique et recherche en ce qui a trait au jugement clinique est que, dans un contexte de recherche, ce jugement ne peut être accepté comme outil que si l'on prend soin d'en mesurer la performance. Quel que soit l'instrument utilisé pour mesurer des variables dans un protocole de recherche, le but final est de permettre à d'autres investigateurs de reproduire leurs propres résultats. Cette préoccupation pour proposer une interprétation des observations qui soit transparente, décentrée de l'investigateur et lisible à l'extérieur, et donc ouverte à la réfutation, est caractéristique de la démarche de la recherche. Il faut admettre qu'un certain type de pratique clinique, dont certains aiment faire l'apologie, se caractérise précisément par une incertitude totale sur les procédures à l'oeuvre pour mesurer les phénomènes cliniques et l'opacité des interprétations qui en dérivent. Heureusement, il existe d'autres façons, plus rigoureuses, de pratiquer la clinique. Finalement, sans souci de reproductibilité, et malgré les contraintes qui en découlent, on ne peut faire avancer les connaissances.

La recette pour la recherche clinique contient donc trois ingrédients de base : questionner, mesurer, reproduire.

Avant de conclure, je veux ajouter quatre remarques d'ordre général. Il est troublant qu'aussi peu de professionnels de santé mentale soient actifs dans le domaine de la recherche, clinique ou autre. Si cela est compréhensible au niveau communautaire, où l'essentiel de l'activité consiste à fournir des services, cela devient franchement inacceptable dans les départements universitaires dont la mission académique est précisément de faire avancer les connaissances. Il serait utile que les professionnels de ces départements universitaires se demandent quelles connaissances nouvelles ils sont en quête de produire qui justifient leur appartenance à l'Université.

Deuxièmement, à un moment où des développements rapides se produisent dans la génétique et les neurosciences, il ne sera pas possible de maintenir un statut académique à notre discipline si l'on continue de se satisfaire de pratiques non évaluées, non mesurables, et autoréférencées. Troisièmement, le débat sur efficacité et efficience est sans nul doute important, mais il n'existe qu'à partir du moment où l'on sépare ces deux niveaux d'évaluation. Et sans efficacité d'abord, il n'y a pas lieu de tenir un débat. Cette distinction est utile à faire seulement si l'on perçoit la hiérarchie naturelle entre ces deux niveaux d'analyse, et qu'on s'en préoccupe comme d'un problème d'accroissement de la validité externe d'une étude, ou des difficultés de transition des résultats d'un contexte initial contrôlé à un autre contexte plus large, naturel et complexe. Réduire et élargir, analyser puis généraliser, dans cet ordre, est ce qu'il nous faut; mais il faut réduire d'abord.

Enfin, pour développer notre discipline, certains changements culturels doivent avoir lieu. Pour avoir travaillé dans quatre systèmes universitaires différents, je sais à quel point certains systèmes de valeurs ou croyances peuvent faciliter ou obérer le développement de la recherche empirique. Mais il suffit de regarder dans d'autres disciplines (la psychologie, par exemple) ou d'autres pays, pour comprendre que ce qui bloque le développement de la recherche en psychiatrie de l'enfant, ce ne sont pas les difficultés ou limitations inhérentes à la recherche, mais plutôt un certain type de culture qui ne la comprend pas. Changer une culture est difficile et prend du temps, mais notre devoir immédiat vis-à-vis de la nouvelle génération est de les exposer à des cultures différentes sans délai. Cette proposition a des implications substantielles pour la formation, qu'à l'instar de nos voisins (Institute of Medicine, 2003), il nous faut mesurer (encore!).

Référence

Institute of Medicine of the National Academies *Research training in psychiatry residency: Strategies for reform.* Washington, DC : The National Academies Press, 2003 : 253.

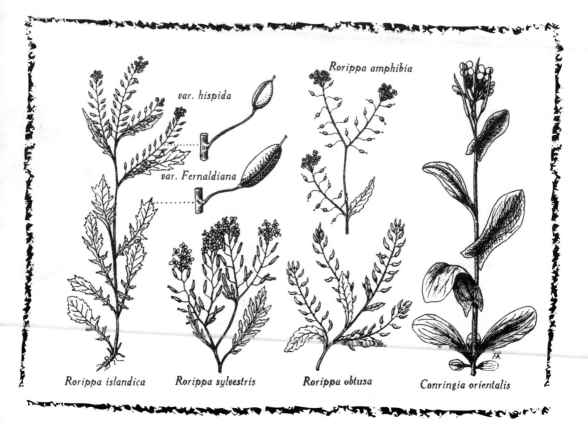

var. hispida

var. Fernaldiana

Rorippa amphibia

Rorippa islandica *Rorippa sylvestris* *Rorippa obtusa* *Conringia orientalis*

BRASSICA L.- CHOU et MOUTARDE

Cette espèce, qui existe à l'état sauvage sur les côtes de l'Europe, a été si profondément transformée par la culture que la description ci-dessous ne peut être qu'approximative. Dans la pratique, le Chou de nos jardins n'est qu'un énorme bourgeon devenu organe de réserve. On en cultive de nombreuses variétés dont les principales son le Chou pommé, le Chou frisé, le Chou de Bruxelles, le Chou-rave, le Chou-fleur. Malgré une étonnante diversité de formes, toutes ces variétés proviennent certainement par mutation du B. oleracea et se reproduisent par semis. À l'état demi-sauvage et fructifié, le Chou potager se distingue des espèces voisines, surtout par la succulence de ses feuilles.

Flore Laurentienne Frère Marie-Victorin, É.C., Directeur-fondateur de l'Institut botanique de l'Université de Montréal.
Les Presses de l'Université de Montréal, 3e édition, 1995. Illustré par Frère Alexandre (Éd. originale, 1935)

prisme

prisme

PRISME

PRISME

PRISME

PRISME

Actuelles

La revue
Entrevue

prisme

PRISME
prisme
PRISME

n° 42

Une aventure intérieure racontée aux enfants

Déçu et défait dans sa vie d'écureuil volant, fâché encore plus contre ses parents, le jeune Léo quitte la maison sur un coup de tête et après un temps d'errance, est recueilli par un couple de taupes auprès de qui il passera l'hiver. Saison décisive que cette hibernation au creux du gîte souterrain qui l'entraînera dans un autre monde et au décours d'un lent apprivoisement, à se trouver, découvrir ses talents et transformer sa vie.

La quête est classique, le scénario universel, et pourtant toujours aussi prenant et porteur. Rappelez-vous Alice... Qui n'a pas rêvé, telle la jeune héroïne de Lewis Carroll, de faire le saut dans le terrier du lapin et s'engager dans le tunnel à l'affût d'impressions, emporté par la curiosité et prêt à s'ouvrir à tous les sortilèges, toutes les énigmes de ce monde représenté.

C'est à une traversée de cette sorte, redoublée d'une aventure intérieure, que le jeune lecteur est convié à la suite de Léo. Pour l'accompagner, une voix d'une qualité, et des accents avec quelque chose d'« immensément doux et de douloureux en même temps » (tel que l'auteure qualifie le gîte souterrain), tant la quête est remplie de cette nécessité et de la sorte d'urgence qui expose au risque du commencement. Dans l'échange que nous avons eu avec elle, l'auteure nous offre quelques points de repère, ancrages possibles à la lecture, en rapport avec sa compréhension de l'enfant et de la vie psychique, du rôle de parent, et de son propre engagement dans le processus d'écriture.

Rencontre avec Nicole Leroux

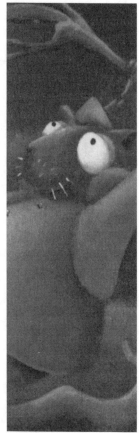

D. M. : *Avec l'écriture de ce premier livre, la thérapeute que vous êtes vient d'opérer un passage vers le monde de la fiction. Comment cette histoire de Léo, et le besoin de l'écrire s'est-il imposé à vous?*

Nicole Leroux : C'est le résultat d'une convergence entre mon propre cheminement dans ma psychanalyse et mes expériences comme thérapeute de milieu auprès d'enfants et de parents pendant de très nombreuses années. En rassemblant ces expériences et en revenant sur ce travail, ce qui me frappe plus que tout, c'est la transformation, cette capacité et le courage qu'ont les enfants de transformer leurs misères intérieures.

D. M. : *Vous parlez de la transformation de vécus internes qui s'accomplit à l'intérieur d'une démarche. Cette expérience de se raconter devant des témoins représente-t-elle selon vous une voie privilégiée à la transformation?*

Nicole Leroux : Au-delà de se raconter, il y a le fait qu'on ne peut se raconter simplement à soi-même. Il faut qu'il y ait des points d'appui dans le réel, des personnes qui aient une réelle capacité d'accueil du récit de l'autre. Plus que des témoins, il faut des appuis et si les enfants ou les adultes n'ont pas ces appuis pour se raconter ou pour transformer leur vécu, le processus risque d'être stérile. Ces gens doivent aussi être là au bon moment, car il y a des temps de convergence, et si à ces moments, ces appuis n'y sont pas, il y a des choses qui ne se passent pas.

D. M. : *Ce rôle d'appui, vous le distinguez de celui de témoin ou de présence qui serait simplement là, cela laisse entendre une activité des deux côtés...*

Nicole Leroux : Je dirais un rendez-vous, un moment d'intersubjec-tivité... et à l'intérieur duquel chacun trouve son compte. Le témoin est une partie nécessaire mais il y a quelque chose au niveau de l'engagement qui doit être palpable, manifeste.

D. M : *Cette histoire, ce livre vient d'un besoin de cette profondeur, de cette densité...*

Nicole Leroux : De cette tridimensionalité.

D. M : *Qui concerne tous ces niveaux de votre engagement. Si on y regarde de plus près, il n'est pas indifférent que le jeune héros soit*

L'hiver de Léo Polatouche

Nicole Leroux

Boréal Jeunesse, 2003
144 pages

Illustrations de
Sophie Lewandowski
A partir de 8 ans
Niveau de lecture:
intermédiaire

un enfant blessé, marginalisé même par son infirmité, à la fois décevant et déçu de ses parents, et qui a de réelles difficultés à s'inscrire dans l'histoire de sa famille. Comment ce choix est-il intervenu dans votre écriture?

Nicole Leroux : Il y a des images qui s'imposent d'elles-mêmes, alors que d'autres représentent, symbolisent des états psychiques. Pour moi, le Léo blessé, décevant, déçu, cela correspond à des blessures psychiques, des cicatrices de l'âme. On peut entendre un Léo qui a mal à la patte à bien des niveaux, envisager cette idée au plan symbolique ou réel. Quand on regarde le développement des enfants, on sait combien la marche, l'exploration est importante, la motricité fondamentale pour conquérir l'espace, avoir une emprise sur son monde. Un handicap physique ou des blessures psychiques peuvent empêcher l'enfant, au plan expérientiel, affectivement et émotivement, de s'approprier son monde, dans la largeur et dans la profondeur, parce qu'il y a des points noirs qui l'empêchent d'aller chercher le monde et de marcher vers lui.

Alors, oui, cette image d'un Léo blessé m'est venue spontanément, et autour d'elle s'est greffé tout ce parcours de l'enfant.

D. M. : *Le potentiel symbolique de l'image en introduction est considérable, avec ce passage de l'aérien – cet enfant appartient à la race des voltigeurs – au monde souterrain. C'est une donnée essentielle du récit...*

Nicole Leroux : Il s'agit de «plonger», plonger dans la douleur. Et ces temps de passage sont nécessairement douloureux, mais selon les capacités de transformation et ce qui est offert, ils seront fructueux, féconds pour les enfants. Ce n'est qu'après que les témoins pourront regarder Léo, lorsqu'il revient à la «surface de la terre» avec ses talents, qu'ils seront là pour l'accueillir mais avant eux, il aura fallu que l'enfant dispose d'appuis pour faire ce travail.

D. M. : *Si on s'arrête à l'histoire, à la fable... quel enfant au fond n'a pas été fâché, insatisfait de ses parents, n'a pas voulu les quitter ou même les remplacer par d'autres? Le point de départ de l'histoire, le conflit initial est classique, qu'avez-vous l'impression d'apporter à cette problématique?*

Nicole Leroux : Ce qu'il m'a semblé important de redire, parce qu'on redit sans cesse mais avec ses propres mots, ses propres polarités et ses contradictions, ce que je dis de l'histoire de Léo, avec sa haine, son amour, sa fuite, son retour... c'est vrai qu'on peut tous le dire.

Ça se passe ainsi depuis des générations, mais avec cette idée ici d'une réconciliation, interne, et qui s'actualise de façon palpable. Il s'agit d'une réconciliation, non pas dans le sens religieux du terme mais plutôt dans le sens de composer avec ses contradictions internes et espérer cheminer, trouver sa voie et bâtir à partir de tous les éléments qui font partie de soi. Et faire en sorte que cette réconciliation interne trouve écho dans des liens.

D. M. : *À côté de la réconciliation, il y a tout proche l'espoir... de trouver chez l'autre un état d'écoute, une capacité de compréhension qui permette justement de se réconcilier.*

Nicole Leroux : Dans mon livre, il y a l'idée que des leçons peuvent servir. Léo a fait un bout de chemin, et quand il va vers son père, son père le reconnaît. Il faut effectivement être deux pour se parler, se réconcilier. Mais il faut aussi qu'en dedans de soi, avant que la réconciliation n'intervienne, il y ait une ouverture, une brèche qui se soit opérée. Avant le geste, quelque chose doit s'ouvrir à l'idée d'une réconciliation, il faut qu'il y ait eu transformation pour que la réconciliation ait lieu.

D. M. : *Le lecteur n'est pas témoin, dans le livre, du travail du papa, mais plutôt de celui du petit garçon. Si on revient au début de cet engagement et de la quête de Léo, on ne peut s'empêcher de s'arrêter à ce moment, si fortement traduit dans l'écriture, alors que l'enfant aperçoit soudain cette lanterne allumée et ayant frappé à la porte, est accueilli par Griffon, cette image de père, qui l'introduit dans la maison. Vous écrivez : « Léo marchait dans l'ombre de cette lumière. Griffon, grand, costaud, et lui, Léo, comme entre les jambes de ce géant d'ombre, chacun ayant des mouvements indépendants...» (p. 28) Et donc dans cette descente sous terre, Griffon guide Léo tout en appelant sa femme et lui disant : « Prépare de la chaleur...»*

Nicole Leroux : Je ne sais pas si vous connaissez cette expression : «Ôte-toi donc dans mes jambes...» Pour moi il y a quelque chose de fabuleux dans cette expression. Pour un enfant qui se sent abandonné, le fait d'être dans les jambes de quelqu'un, cela veut dire qu'il existe - il existe parce qu'il peut être dérangeant. Cette image rejoint aussi la dimension intergénérationnelle, qui recouvre les générations passées et celles qu'on va laisser derrière et après nous. Je suis probablement arrivée à un âge où je suis sensible à cette question, ce phénomène de la transmission d'un legs, d'un savoir, et pas seulement intellectuel, mais d'un savoir sur la vie aussi.

Tous ces processus d'identification sont présents dans cette démarche – de celui qui marche en arrière, qui marche dans les jambes, qui marche dans l'ombre de la lumière... – et il y a dans cette transmission quelque chose de l'ordre d'un appui, d'une butée à l'intérieur d'un cercle ou d'une ombre, dans lequel on choisit parmi tout ce qui est offert des choses qui peuvent nous appartenir, et dont on peut dire : cela me ressemble. Et cela veut dire : j'aurai ma propre démarche dans cette ombre. Être dans les jambes, ça évoque tout cela pour moi.

D. M. : *Une autre dimension très importante est celle du Temps, et qui passe ici par le regard de l'enfant. Tout est «observé», le travail du regard, tel qu'il est transmis par la narratrice, est central dans le récit. Comme si cet enfant apprenait à regarder, et nous l'apprenait avec lui, et cela se passe dans le temps... et faut-il ajouter, dans le temps lent. «Tout prenait un temps énorme», dit Léo, en commençant par celui d'allumer les lampes et de nettoyer les loupes. On a l'impression que la narratrice est habitée par cette dimension, en fait tout ce qui concerne le «bien voir»... et le «mal voir». «C'est un peuple de myopes», écrivez-vous à un moment donné. Pour bien voir, il faut prendre le temps, et c'est cette expérience du temps, dont on sait combien elle est importante pour les enfants, à laquelle est invité l'enfant lecteur.*

Nicole Leroux : C'est probablement le fait du travail en thérapie de milieu avec des enfants qui a été déterminant pour moi. Qu'est-ce qui aide à sortir l'enfant de son chaos, sinon que de lui donner des points de repère... Et l'idée d'être «en présence de quelqu'un» est ici fondamentale. Dans cette noirceur où il se retrouve, cette chute de son univers et par rapport à son monde habituel, Léo peut ponctuer, scander le rythme des jours. Qu'est-ce qui fait qu'on puisse se tirer d'un magma, d'un chaos innommable et qu'on parvienne à reconstruire, se reconstruire, se remettre au monde... expérimenter les jours, sinon qu'en prenant appui sur une chronologie intérieure – et non la chronologie conventionnelle. Dans cette construction interne d'une chronologie et donc d'une histoire, il faut une ponctuation et en ce sens, le temps a une valeur symbolique parce qu'il contient l'histoire. Ce qui fait que des choses émergent, c'est qu'on a pu les voir, les nommer, les ponctuer aussi, et dans cette temporalité subjective, c'est toute une organisation de sa propre histoire qui s'élabore et nous permet de sortir du chaos.

D. M. : *On a l'impression que pour constituer cette organisation, l'éducatrice en vous est allée chercher ses outils: par ex., le sablier, qui est présenté très tôt et par la mère, le tablier (cet habit nourricier par excellence) sur lequel sont brodés les nombres, et tous ces instruments qui marquent le temps et ceux, comme la lanterne, les loupes, qui définissent l'espace.*

Nicole Leroux : Oui et cela permet à l'intérieur de cette enceinte, temporelle et organisatrice, d'installer une fluidité. Pour que la fluidité soit autre chose qu'un laisser-faire, une anarchie – ce qui est, à mon sens, très différent –, il faut qu'il y ait une enceinte, et des personnes qui incarnent par des gestes et des objets une organisation à l'intérieur de cette enceinte.

D. M. : *Mettre une barrière contre la confusion et le chaos, mais non imposer un cadre et un ordre si construit qu'il fige tout mouvement.*

Nicole Leroux : C'est en fait la fonction du pare-excitation qui est en cause ici, cette fonction qui est offerte un peu comme un terreau. Imaginons la constitution par couches successives d'un oignon, en pensant, par analogie, au pare-excitation, et à l'apport nécessaire du terreau dans la constitution de ses multiples enveloppes. Je suis fascinée depuis très longtemps par les poupées gigogne, j'en ai toute une collection que j'ai amassée d'un peu partout. Certaines racontent une histoire, avec chacune un petit dessin particulier. Pour moi, cette constitution d'une histoire à l'intérieur d'une histoire à l'intérieur d'une histoire, c'est comme autant d'étapes dans le développement. Dans mon histoire avec des enfants, des enfants au vécu difficile qui sont dans cette tranche d'âge, toutes ces enveloppes sensorielles sont justement nécessaires pour créer chez eux des peaux psychiques, et c'est le rôle du pare-excitation que d'assurer ce transport vers la constitution, l'intériorisation des expériences chez l'enfant.

D. M. : *Un autre point très important exploité dans le roman est celui du travail sur la différence qui est porté, lui aussi, par le regard que Léo pose sur son monde, et par l'expression d'émotions, la surprise, la colère en particulier face à son expérience de l'étrangeté. Il y aurait toute une réflexion à faire sur cette dimension du livre...*

Nicole Leroux : Pour qu'une différence s'installe, puisse s'exprimer, pour que Léo puisse se vivre comme différent, il fallait qu'une partie de son identité soit déjà construite. Autrement, il n'aurait pas senti de différences, par exemple, dans les odeurs de la maison de Griffon et de Mélodie, s'il n'avait pas eu, déjà inscrite en lui, une odeur bien à lui. Au plan psychologique, cela apporte une distinction assez fascinante. Si l'on s'arrête à cette grosse colère de Léo, on est ramené à Winnicott lorsqu'il parle de la notion de destructivité: ce qu'un enfant doit expérimenter, c'est que sa destructivité ne tue pas, ne détruit pas l'autre. Mais pour qu'un enfant en arrive là et par conséquent assume sa «destructivité», l'expression de sa haine en fait, pour qu'il puisse faire ce test de vérifier si l'objet va résister à sa destructivité, il faut qu'il ait pu bénéficier d'un étayage interne, qu'il soit suffisamment construit pour pouvoir prendre le risque d'attaquer l'objet, et ne pas craindre qu'en l'attaquant, il puisse être détruit en même temps que l'objet, ou détruit en retour par lui. Ceci veut dire que déjà, avant ce mouvement d'attaque, l'enfant avait à l'intérieur de lui des objets assez solides, que sa vie lui avait fournis, avant qu'il puisse prendre le risque.

D. M. : *Léo ne fait pas cette colère en arrivant mais bien plus tard, alors qu'il connaît déjà suffisamment Mélodie et Griffon... comme s'il cherchait à consolider son accrochage à son nouveau milieu. Un autre point très important dans l'organisation du récit, c'est l'attente qui est imposée au lecteur avant d'arriver à la scène où Léo avoue les sentiments qui ont motivé sa fuite de chez ses parents. Cette scène vient très tard dans le récit, est-ce cohérent avec votre compréhension?*

Nicole Leroux : Elle arrive aussi tard parce que l'enfant ne peut pas faire face à sa colère, et avant de pouvoir l'avouer, il fallait que lui, Léo, accepte d'y faire face. Je crois que l'enfant ressentait à ce moment qu'il avait autour de lui la sécurité nécessaire, mais il lui fallait faire face, je dirais, à sa propre démesure.

Dans cette expérience de l'aveu, il y a ce que j'appellerais un mouvement d'impudeur, qui expose à une grande vulnérabilité, comme chez les adultes. Dans l'impudeur, on se révèle soi-même (alors que l'impudique ne cherche qu'à provoquer...). Pour Léo, il s'agit de se mettre à nu, de s'ouvrir totalement. Il n'y a plus de protection, et à ces moments, le risque de vulnérabilité est encore plus grand. Le fait de se permettre de s'ouvrir à l'autre représente une marque de confiance absolue, puisque cela implique d'aller dans l'intimité la plus profonde.

Je crois que la notion d'intimité dans mon récit est capitale, il y a au coeur du roman une quête de ces moments d'intimité, moments au cours desquels des êtres peuvent se trouver. L'intimité se travaille, se construit, ça ne s'impose pas, ce n'est pas magique, cela doit arriver au bon moment dans le travail comme dans le quotidien.

D. M. : *Cela permet de comprendre ce mouvement longtemps craint de l'aveu, essentiel pour l'enfant encore plus que pour le parent...*

Nicole Leroux : Effectivement, cette révélation n'était pas nécessaire pour Griffon comme elle pouvait l'être pour Léo. Griffon n'en avait pas besoin, et il est important de voir cette asymétrie par rapport au besoin : pour Léo, cela changeait intérieurement son rapport à Griffon, alors que ça ne changeait pas le rapport de Griffon à Léo.

D. M. : *Léo avait donc besoin qu'on l'attende...*

Nicole Leroux : Oui, qu'on lui donne du temps. Et on revient encore à cette dimension cruciale du temps.

D. M.: *Et à ce rôle du parent tel qu'il est mis ici en évidence. Dans un autre scénario, les parents auraient par exemple dit à l'enfant : «Écoute, on va aller à la recherche de tes parents...» et ils auraient pris l'affaire en mains, en quelque sorte, et seraient entrés en action. Dans cette dynamique-ci, on a l'impression que la démarche du parent est davantage fondée sur l'attente, la réceptivité, plutôt que sur un projet défini d'avance.*

Nicole Leroux: Les parents sont souvent dans le désarroi, désespérés. N'oublions pas que c'est l'hiver – symbolique ou réel. On cherche avec eux et si on pouvait savoir comment faire, quelle recette utiliser – oui, ce serait tellement sécurisant. Mais il n'y a pas de recette, et comme intervenants, si on ne donne pas la chance, le temps que quelque chose émerge, si on ne permet pas aux parents de trouver leur propre solution, on leur impose les nôtres... Et ce dosage, cette organisation d'un cadre à l'intérieur duquel la créativité peut s'exprimer est d'une réelle complexité. Maintenir cette organisation suffisamment plastique, dans le sens de mobile, demande une grande sécurité intérieure. La créativité est en cause tout le temps. Comment faire pour composer avec de telles situations sans s'enferrer dans les difficultés, sans attendre trop ni trop peu, comment attendre sans provoquer inutilement mais en sachant anticiper ce qui peut advenir. C'est ce mouvement de rendez-vous dans le déséquilibre qui est pour moi si fascinant. Il faut que ce moment vienne cimenter quelque chose. Et les adultes ont, à ce sujet, le devoir de déposer, un peu comme le Petit Poucet avec ses cailloux, déposer des choses dont l'enfant fera ce qu'il peut ensuite.

D. M. : *En pensant au père et à la mère, que répondez-vous à ceux qui reprocheraient une répartition trop «traditionnelle» des rôles dans le roman? Cette attribution des rôles est-elle nécessaire au travail qui est fait avec l'enfant?*

Nicole Leroux : Je ne crois pas à la nécessité figée de ces rôles, mais à la nécessité du deux et du trois. Pour que trois existe, il faut qu'il y ait un espace entre deux pour que l'enfant s'y trouve. Ce qui sauve les enfants, mais aussi les adultes, c'est leur capacité de jouer, de jouer intérieurement avec les concepts, avec l'humour, avec la vie. Je suis profondément convaincue de ça! Tout le défi est de créer des zones de jeu à tous les niveaux (en sciences, en mathématiques, avec les mots, avec des marionnettes, par tous les médiums possibles...) et si on ne crée pas de telles zones de jeu, on devient stérile.

Mais pour qu'un jeu s'installe, il faut qu'il y ait un espace de jeu, tout au moins une enceinte. Et c'est pourquoi j'ai un Griffon avec une Mélodie... Ceci étant dit, le «prendre soin» n'est pas exclusif, mes personnages offrent chacun des choses à Léo. Avec ses tabliers, Mélodie propose des points de repère à Léo et organise une réalité, tandis que Griffon s'occupe des sabliers, des registres, du passé... Oui, en ce sens, on peut dire qu'ils ont des rôles assez définis, mais en même temps, on voit qu'il y a permutation des rôles, et c'est cette interchangeabilité qui est essentielle dans le couple, que les parents puissent jouer dans cet espace. Autrement, s'il y a collusion ou fusion trop grande avec un des deux, il n'y a plus identification mais fusion, il n'y a plus de reconnaissance de l'autre, plus d'enceinte ni d'espace dans lequel le jeu peut prendre place. Le deux permet que le trois advienne. Griffon et Mélodie offrent dans la tridimensionnalité cette enceinte du jeu à Léo, et c'est cela qui est fondamental.

D. M. : *On a dit l'importance des interactions entre Léo et le père, mais la relation entre Léo et Mélodie se révèle très spécifique et ouvrante en ce sens que c'est par elle que lui parvient une dimension du langage, celle de la musique, de l'expressivité... et de façon très particulière par cet instrument de l'«harmonium de forêt», dont les sons sont fabriqués sous ses yeux. D'où vient, comment vous est venue cette idée de l'harmonium?*

Nicole Leroux : Je n'en sais rien. En même temps, ca me fait penser que j'ai toujours été très sensible à la musique, et très touchée par des gens que j'ai connus et adorés, et qui étaient très proches de la musique. C'était un milieu où on se retrouvait, où j'ai été accueillie comme l'un des leurs, et ça a été une expérience fondamentale qui, même si je ne suis pas musicienne, m'a nourrie. Le fait de donner la musique aux enfants, comme les contes, est pour moi très important. Ça me rappelle ce livre d'Alessandro Barrico, *Les châteaux de la colère*, je crois, dans lequel un chef d'orchestre invente un instrument de musique qui s'appelle un «*humanophone*». Il découvre que chaque personne porte un «son», et lorsqu'il veut une note, le chef d'orchestre tire sur la ficelle, et en tirant sur plusieurs ficelles, il obtient autant de sons et crée ainsi de la musique. Il doit y avoir une partie de moi qui est proche parente de cet univers.

D. M. : *Il y a aussi la description de ce «capteur de son», et cette confection de sons par le docteur Hermine et Griffon... qui semble très investie par la narratrice. C'est une dimension essentielle de la relation de Mélodie avec Léo, qui ouvre à l'enfant tout un champ d'observation. Mélodie a une expression au moment de la convalescence de l'enfant, disant: «Nous prendrons le vent». L'image – et ce n'est pas le seul cas dans le livre – vient comme une surprise pour l'enfant qui en cherche longtemps ensuite le sens, et de fait, souvent, ces images viennent de la mère.*

Nicole Leroux: Oui, et ce jeu de permutation dans les rôles intervient encore ici : Griffon construit l'harmonium de forêt et offre le dessin à Léo, Mélodie lui transmet la musique et les images. J'ai beaucoup aimé écrire cette partie du livre. Mais ce qu'il faut voir également, c'est ce que Léo, par sa présence, permet à Griffon et Mélodie d'exprimer. Il provoque quelque chose, on peut imaginer qu'il est aussi un « révélateur » dans leur propre histoire.

D. M. : *Cet enfant intervient dans l'histoire de ses parents, mais dans un ordre que vous montrez et qui n'est pas anodin.*

Nicole Leroux: Les rendez-vous existent et fonctionnent dans les deux sens. Ils provoquent des choses mais comme on l'a dit précédemment, pas n'importe comment : il fallait d'abord que Léo soit reçu, que le parent soit disponible et l'accueille pour qu'ensuite il puisse être interpellé par l'enfant.

Être ensemble ne signifie pas qu'il y a rencontre. Il faut avoir en creux cette capacité d'accueillir, il faut avoir «grandi» pour s'occuper d'un enfant, surtout d'un enfant différent. Il est vrai que certains enfants posent à la vie des questions qui sont porteuses de grandes souffrances... Les parents doivent avoir en «creux» au dedans d'eux un espace pour recevoir l'enfant (à ce sujet, le rythme créé par la saison d'hiver exprime cet état un peu spécial). Si les parents sont tout le temps débordants, ou toujours débordés, il n'y a pas de place en eux. En même temps, cet espace doit être assez plein pour pouvoir accueillir. Un espace creux n'est absolument pas un espace vide! Cette position pose tout un paradoxe...

D. M.: *Votre expérience de thérapeute et votre processus d'écriture sont, comme on le voit, très liés et empruntent beaucoup l'un à l'autre.*

Nicole Leroux: Oui, énormément. Je ne pense pas que j'aurais pu écrire ce livre si je n'avais pas fait ce travail avec des enfants. Tout cela cohabite en moi... des moments où l'on a l'impression d'avoir fait une différence pour des gens, comme des gens ont fait une différence pour soi. Et cette cohabitation simultanée des choses ouvre un peu comme une autre dimension du temps, donne le sentiment d'un « maintenant perpétuel » qui me fait dire que, para-doxalement, le temps n'existe pas.

D. M.: *Boris Cyrulnik dit dans son dernier livre (Le murmure des fan-tômes), à propos du récit, que « la fiction posséderait un pouvoir de conviction bien supérieur à celui de l'explication ». Qu'en pensez-vous? Se pourrait-il que cette tentation ou cette nécessité d'aller vers la fiction puisse prendre le pas sur votre travail comme thérapeute?*

Nicole Leroux : La fiction, à cause du déplacement, a la possibilité de toucher, sans arriver aussi brutalement dans le cœur. Raconter, soigner, il y a là pour moi une combinaison de deux rôles qui se nourrissent l'un l'autre. Lorsqu'en racontant des histoires, je réussis à aider des enfants, c'est que j'ai réussi intérieurement, sans nécessairement le leur dire, à raconter une histoire qui les concerne. Alors si je réussis à me raconter une histoire, cela veut dire que les enfants ont pris une place en moi, et que je me suis laissée utiliser à leur service.

Propos recueillis par *Denise Marchand*

Inversions barbares

Jusqu'au XIXe siècle, les certitudes scientifiques ont été si affirmées qu'elles expliquent l'étonnement et la révolte d'un Einstein et de tous les découvreurs du monde quantique. Principe d'incertitude, relativité généralisée, théorème de Gödel, nous sommes passés d'un monde clos déterministe à un monde ouvert probabiliste. D'un monde du Grand Horloger à un monde où dieu n'est plus que la place du manque, d'un monde prévisible à un monde aléatoire. La liberté décisionnelle et exécutive devient une stochastique de l'être. Elle est désormais une conséquence, une trace, un reste, de l'origine elle est passée à la fin. Tel est l'impact des sciences sur le monde depuis un siècle. Notre quotidien ne semble pas en être affecté et pourtant... Le monde des humains du nord riche paraît sans guide ni certitude, sans dieu ni maître, règne de la solitude. Tout voyageur sait que les peuples dits en voie de développement manifestent plus de bonheur et de joie que nous. Ce monde n'est pas nécessairement sans repère ni solidarité. Simplement la guidance a changé, l'autorité a muté. Consensuelle et non hiérarchique, égalitaire et non ethnique, non religieuse, telle est l'autorité ouverte. À titre d'exemple, le dogme de l'infaillibilité papale se présente comme une pétrification d'un souhait de certitude dont les religions n'ont pas l'apanage. Dans ce monde différent, liberté et autorité se conçoivent dans l'après coup. Nous passons d'un monde causal à un monde conséquentiel. Les lois de Newton et Kepler déterminaient le monde et le prédisaient, nous savons désormais qu'au mieux, nous pouvons en calculer la probabilité.

Notre cerveau dispose de fonctions négatrices de la mort et de la perte. Il est le lieu où nous représentons, c'est-à-dire interprétons, le réel. Il y est toujours décalé, inadéquat et dyschronique. Notre volumineux cortex génère et anticipe un réel probable. C'est la raison pour laquelle toute vérité nouvelle est d'abord niée par les humains.

177

Accentuez cette fonction d'anticipation probable et vous avez successivement : l'imagination, la fabulation, puis le délire. «La vie est un songe», a écrit Calderon, aussi la seule façon de nous éveiller est-elle généralement de nous frapper de malheur. Arnold Toynbee, le grand historien anglais, soulignait combien il faut des défis aux civilisations, défis qui ne les tuent pas toutefois. Ainsi le malheur est-il un éveilleur. Aussi nos institutions juridiques qui se proclament éternelles, ont-elles une fonction rassurante. Nos croyances personnelles et institutionnelles, en se fossilisant, deviennent territoriales et possessives, les fous de dieu ou d'autre chose sont des possédés dangereux.

Si l'autorité ouverte a un sens, elle commence par chaque personne. Elle est l'établissement d'un dialogue entre Je et l'Autre, pour évoquer Rimbaud, conscient et inconscient pour parler freudien, Yin et Yang pour les Chinois, lobes frontaux et système limbique selon les neurosciences. Les procédures d'établissement de ce dialogue et de ses connections sont multiples : l'attachement aux parents, l'éducation scolaire, langues et institutions sociales, les thérapeutiques. Mais comme tous les acteurs de cet immense réseau sont eux-mêmes empreints de croyances et certitudes, il faut bien admettre que la ligne vers une autorité ouverte, probabiliste, sans négation de la mort - si elle est même possible – est très souvent en derangement.

Nos évolutions sociales fonctionnent comme l'évolution darwinienne mais nous n'en sommes pas arrivés à une évolution éthique. Cela n'est pas faute d'avoir essayé. Nous avons tenté de créer de nouveaux humains : chrétiens, marxistes, nazis, libéraux, islamistes…: échec et mat. Sans doute parce que nous avons utilisé l'autorité fermée. Ainsi la certitude acharnée est-elle ce cadavre exquis qui encombre l'espèce humaine depuis qu'elle existe. De désillusion, nous sommes passés à inversion.

«La guerre, c'est la paix. La liberté, c'est l'esclavage. L'ignorance, c'est la force» (1984, G. Orwell). La même inversion s'est produite sous nos yeux qui a fait passer les parents de cause des enfants, avec la dette symbolique qui s'ensuit des seconds aux premiers, à conséquence : l'enfant devient la cause des parents. Juridiquement le crime fondamental n'est plus le parricide mais l'infanticide. La beauté est devenue laideur. Où sont le proche et le lointain qu'elle inspire, le divin sans dieu qui émane d'elle?

En éteignant ce paradoxe du proche et du lointain - qui est très exactement le paradoxe parent-enfant - inspirateur de liberté, nous avons éteint la beauté. La beauté de l'éducation parentale par exemple. Notre nouvelle certitude est molle : laideur moyenne et conforme. Laideur de bon aloi où nous nous ressemblerions et rassemblerions. De cela Denys Arcand nous avertit et nous instruit dans *Les Invasions barbares*. Chacun de nous en ne soulevant pas la chape de plomb de conformité dont nous recouvre la post-modernité, contribue à la laideur du monde.

Sur le mode d'une autorité fermée désormais plus insidieuse, se prépare à nouveau l'idée d'un nouvel humain autorisé par les neurosciences. C'est ce qu'affirme tranquillement Francis Fukuyama dans *Our Posthuman Future*. L'évolution darwinienne sera conduite par l'humain sur l'humanité en modifiant, par exemple, sa génétique. L'évolution éthique est-elle possible ou est-elle oubliée? Tout se passerait comme si, chez tant d'humains, il n'y avait qu'un maigre dialogue entre Je et Autre, entre un navire–capitaine et son commandant. Le rapport signal-bruit entre l'être et la société diminuerait-il selon la même décroissance qui affecte l'intelligibilité des paroles en regard de l'environnement sonore dans l'audio-visuel? « La parole humiliée », disait Jacques Ellul. La beauté est exigeante, c'est en quoi nous la désignons comme élitiste, elle a le parfum et la saveur des humains, c'est en quoi nous l'enfermons dans les musées. Peut-être n'y est-elle pas enclose, peut-être seule-ment à l'abri, peut-être sort-elle la nuit? Sommes nous entrés en zone crépusculaire, celle de « *L' homme sans qualités* » (R. Musil), celle des *Invasions barbares*? En cette pénombre se produisent les tours de passe-passe : la propagande (Goebbels) devient publicité, le bien-être devient social, les mots changent de sens, et la rectitude politique est le nouveau nom du '*Novlangue*' (« Ne voyez vous pas que le véritable but du Novlangue est de restreindre les limites de la pensée? À la fin nous rendrons littéralement impossible le crime par la pensée car il n'y aura plus de mots pour l'exprimer.» *1984*).

Prenons l'exemple des « *Bougon* » introduits par Radio-Canada à grands coups d'autosatisfaction au nom de « *C' est aussi ça la vie!*». De parfaits parasites, que l'on présente comme de libres gagnants (« La liberté c'est l'esclavage»), de rigoureux handicapés éthiques que l'on propose d'admirer («L'ignorance c'est la force»), un monde soigneusement clivé : eux contre le système, et nous aurions une œuvre? Qui est donc le système? Ainsi incarnent-ils une grande caractéristique de l'humain post-moderne : l'exercice de sa responsabilité consisterait désormais à accuser l'autre (C. Barthe).

Que dire de ces autres phénomènes médiatiques mondiaux : *Loftstory* et autres *Survivors* dont la recette est celle du titre d'un livre de Michel Foucault, *Surveiller et punir*. Petits mondes darwiniens d'où sortirait l'espèce la plus adaptée, petits camps de concentration dont ceux qui en sont éliminés, se font insulter, de retour chez eux, par la foule. Doivent-ils s'étonner que le passant confonde jeu et réalité, quand le jeu lui-même se présente comme téléréalité ? À cela s'ajoutent les analyses à l'emporte-pièce d'un psychiatre ad hoc, sûr de lui comme de l'univers. Savoir consiste à connaître les limites de sa connaissance.

Des « Bougon » à une psychiatrie dévoyée par un médecin qui a oublié le serment d'Hippocrate : « Quoique je voie ou entende dans la société pendant l'exercice ou même hors de l'exercice de ma profession, je tairai ce qui n'a jamais besoin d'être divulgué, regardant la discrétion comme un devoir en pareil cas », la recette est la même : certitude, absence d'éthique. Notons au passage qu'Hérodote soulignait la douceur comme une caractéristique de la médecine grecque. Ne serait-elle pas de nos jours encore une caractéristique de la médecine tout court ?

Notre psychiatre est du nombre de ces ombres que nous pouvons être lorsque la célébrité nous monte à la tête. Une ombre qui passe à la radio et à la télévision passe pour une réalité, elle devient alors un mirage. Il nous arrive d'y croire.

Les humains ont toujours cru aux faux prophètes et c'est Barabbas qui a été libéré. Si donc l'on doit juger de notre confrère, c'est sur la seule base de la beauté du serment d'Hippocrate. Ce n'est pas l'ombre qui manque mais la lumière.

Marc-Yves Leclerc
Psychiatre
Pavillon Roland Saucier
Chicoutimi

Parce que tabasser un mort, «c'est aussi ça, la vie»?!

(À propos des Bougon, le 21 janvier 2004)

Nous aurions vu une scène, fictive ou non, dans laquelle on attaque un mort dans son intégrité physique, dans son intégralité déjà en perdition, scène captée dans un autre pays, et nous aurions jeté les hauts cris: «Mais, c'est une bande de dégénérés!!!» Et pour ne pas parler de la présence d'enfants...

Là, on rit ou on est censé rire. Comment se débarrasser d'un mort encombrant? Stupeur?! Pas vraiment étonnant: les personnages des Bougon éructent, bouffent, injurient, méprisent tout ce qui n'est pas eux. Indifférence, dérision, fanatisme de l'ego, raisonnement cohérent (à première vue...) mais aveuglé par le calcul.

C'est aussi ça la vie, que oui, et la fable n'est même pas morale. Une antifable plutôt, mais fort habile: mélange d'observations du quotidien, de situations rocambolesques, de pitreries en clin d'œil, le tout en réparties vives. Et en lestes récupérations des «problématiques» de l'heure. Mélange donc, de sympathique-rigolo-tout-de-même avec de la carence sociale (pour ne nommer qu'elle), autrement difficilement soutenable pour notre sens du confort. En fait, ce qu'il faut pour museler l'intelligence au profit d'une complicité issue de zones hyperviolentes chez le téléspectateur. Hyperviolentes n'équivaut pas toujours à sang répandu dans l'abject, mais à quelque chose d'infiniment plus subtil: la cruauté et la haine lâchées lousses dans l'impudeur émotionnelle, celle qui attire les foules, prétend-on.

Reflet ou non d'un pan de notre culture, est-ce la question? Ou concentré de ratage qui procède par a priori que tout, absolument tout, est pourri (ça pourrait d'ailleurs faire le sous-titre de l'émission). Dans cet épisode, elle tient au propre, la pourriture, en marche dans ce mort. Et ce n'est pas un hasard si l'oncle impuissant face au terrifiant microsystème familial, frappe fantasmatiquement le «boss» dans ce vrai corps déshabité. Il s'acharne aussi de désolation de lui-même. Et peut-être au fond, veut-il terrasser la mécanique débilitante de l'existence à courte vue. Et étouffer sur la face de ce mort la rigolade qui se répand comme seul et unique mode de défense devant l'iniquité et l'absurdité.

Cela dit, rien de civilisé ne justifie la profanation d'un cadavre, ni dans la guerre, ni dans les luttes interethniques, et encore moins dans une télésérie. La vie y est, résiduelle. Pas en temps humain actuel, mais en souvenir de l'individu par lequel elle s'est incarnée, a joui et souffert d'elle-même. Et évidemment en biologie, puisque les micro-organismes y font leur inlassable boulot. Bien sûr, sur un autre registre, des conduites facétieuses se retrouvent dans certaines sociétés, et même là, pas sur le mort, mais sur les (sur)vivants: ce macabre est ponctuel et encadré socialement. Parfois, ce sont les vivants qui s'abîment le corps, en guise d'acquiescement passager au désordre introduit par la mort (et ils trouvent bien à réorganiser du sens ensuite). Or, écrabouiller l'apparence humaine d'un cadavre, ici pour le motif minimaliste de sauver ses propres apparences, c'est précisément réduire l'humain à de la matière inanimée. C'est nous battre à la pelle, nous difformer, nous rabattre entièrement sur ce que nous passons tant d'efforts à élever, c'est nous déshumaniser, tous.

Je proposerais à cet égard une interprétation alternative du suicide; non pas celle où les gens de la génération du «boss» s'en seraient prémunis, en apprenant «la vie» sans trop de ménagements, ou encore en s'excitant mur à mur, mais celle-ci: on peut se mourir, aussi, d'un monde qui réduit l'humain qui, à une marchandise, qui, à un voyeur fasciné par l'anéantissement; mais de toutes les manières, un monde qui prouve sa valeur sur le dos d'autrui, innocents, mobiles ou inertes.

Le suicide de ceux, qui, justement, refusent que ce ne soit que ça, la vie. Et ne savent pas comment, autrement, écœurés et confus.

Luce Des Aulniers
Anthropologue
Études sur la mort et
Département des communications
UQAM

Droit de Réplique

Avez-vous un commentaire à apporter, un argument à défendre, un point de vue ou un autre «son de cloche » à faire entendre, ou souhaitez-vous tout simplement nous faire signe après la lecture d'un essai, d'une chronique ou d'une opinion émise dans nos pages?

L'invitation est lancée à tous nos lecteurs désireux de poursuivre la discussion ou de la réouvrir sur un sujet traité dans le présent dossier ou sur toute autre question d'intérêt ou d'actualité.
A vos plumes, et bienvenue à tous et toutes!

La Rédaction

Faites parvenir votre texte à l'adresse suivante :
Revue PRISME
Département de psychiatrie
Hôpital Sainte-Justine
3100, rue Ellendale
Montréal (Québec) H3S 1W3

Courriel : *denise_marchand@ssss.gouv.qc.ca*

Comenius ou l'art sacré de l'éducation

Jean Bédard

Paris : Jean Claude Lattès
2003, 326 pages

Jan Amos Komensky (1592–1670), mieux connu sous le nom latin de Comenius, est un grand précurseur tant sur le plan des idées concernant les enfants que celui des méthodes pédagogiques et éducatives qu'il préconise. Il représente, pour Michelet, «*le Galilée de l'éducation*».

Considéré comme le centre de la famille et de la communauté, l'enfant est déjà « une personne ». « Devenir homme ou femme soi-même constitue le premier pas. Accompagner chaque enfant est notre premier devoir ». (p. 96) Pour Comenius, l'éducation est le contraire d'un endoctrinement : « Les élèves entendront les oiseaux, toucheront des animaux, seront constamment façonnés par la tendresse de la vie... Tout ce qui est enseigné doit être montré. La culture véritable n'est qu'un chenal entre la nature intérieure et la nature extérieure. Sur ce chenal, l'éducateur joue le rôle de passeur ». (p. 97)

La pensée de Comenius est une mine d'or pour notre vie personnelle, familiale et collective, un merveilleux chemin vers nos enfants et vers notre enfance. Quant à l'homme, il est à la fois très humain et pourtant hors du commun, aussi bien en tant que père que comme révérend de sa communauté religieuse, comme savant (philosophe et écrivain), comme pédagogue et comme prophète, non pas diseur de prophéties mais dans le sens de « en avance sur son temps », sur le temps... « Toute violence sera chassée de l'école. Parmi les violences : la grisaille des lieux, l'austérité des classes, la rigidité des bancs, l'inactivité physique si contraire à la nature des enfants... » (p. 97) Sur le chemin de l'exil, Comenius fonde des écoles pour enseigner à tous, filles autant que garçons, aux pauvres surtout, tout ce qui est

(184)

nécessaire à l'exercice responsable de la liberté individuelle et collective. Il veut que chacun puisse se défendre contre l'injustice et atteindre l'autonomie personnelle et économique.

Comenius ne confine pas ses réflexions au domaine éducatif mais va bien au-delà, abordant notamment de grandes questions politiques. Il faudra attendre le début du XXe siècle pour que certaines de ses idées dans ce domaine se réalisent, en partie seulement et non sans peines et régressions. En effet, témoin de terribles guerres, Comenius pense que l'humanité ne pourra survivre que si elle arrive à la paix. Elle n'y arrivera que par un mouvement des populations en faveur d'une sorte d'Unité de Nations : une démocratie universelle fondée sur la déconcentration des pouvoirs, la collégialité des décisions, la justice sociale, le désarmement symétrique des nations et des individus, l'éducation de chacun. « Il faut penser à une constitution qui puisse permettre à l'homme de devenir individuellement et collectivement humain ». (p. 91)

L'ouvrage de Jean Bédard est un roman, une œuvre d'imagination, à la fois pleine de charme, de poésie, de profondeur et de cruauté. C'est un roman puissant et émouvant. Nous sommes invités à y goûter la vie dans sa quotidienneté, sa simplicité, son implacable dureté, en une époque très difficile dans une Europe ravagée par les guerres qui n'en finissent pas.

D'abord la vie d'une communauté tchèque à laquelle appartient Comenius, qui en est le pasteur. Elle se trouve ballottée d'exil en exil sur les routes de Pologne, de Bohème et de Hongrie, en un parcours semé d'embûches de toutes sortes : pillages et tueries, viols et violences, épidémies. Cette communauté chrétienne, ni catholique, ni protestante, mais dans la lignée de Jean Hus, à la merci des décisions et parfois des déboires des « grands de ce monde », nous rend plus sensible, si nous le voulons bien, aux souffrances endurées par certains peuples aujourd'hui. Les horreurs se répètent, hélas.

La vie ensuite d'une famille bien particulière, où la guerre tue mères et enfants à plusieurs reprises, où le père, trois fois veuf, se remarie, où des orphelins sont accueillis et éduqués au sein d'une communauté tantôt tolérée, mais le plus souvent rejetée par son entourage. Une famille que les choix et les circonstances diviseront, mais qui se retrouvera groupée autour du père, lors des derniers moments de Comenius.

La vie aussi où des naissances et des morts, paisibles ou violentes, se succèdent, violentes surtout : « Ce n'est pas la mort qui était passée dans ces villages, c'était l'enfer. La mort relève de la nature, Lucifer relève de l'homme. La mort, on en revient, l'enfer, on n'en revient jamais». (p. 86) «Le démon pousse la victime à ressembler au bourreau. Voir s'infiltrer dans son cœur ce qui nous a fait si horreur dans l'ennemi, c'est le prix de la guerre ». (p. 87)

Une vie encore où l'on sait accueillir les petits bonheurs, les goûter, les partager. «Sans l'arôme de maman, je n'aurais pas eu de maison. Chaque matin, elle nous demandait à ma sœur et moi d'aller cueillir des fleurs odorantes qu'elle glissait comme des guirlandes sous sa ceinture de serge rouge. (...) Elle nous hissait sur la charrette et nous chantait dans l'oreille des airs gais. (...) Rien n'est aussi impératif que la joie». (p. 22) « Les vendanges furent d'une grande réjouissance. Le raisin était gorgé d'une vitalité qui nous pénétrait par les pieds, Suzanna, moi et toutes les filles chargées d'écraser les fruits. Il m'arrivait de m'égayer et de rire simplement pour mieux appartenir à cette communauté qui tentait de se guérir de la guerre». (p. 113)

Une vie enfin de fugitifs, de migrants où la pauvreté matérielle n'empêche pas une grande richesse spirituelle, intellectuelle et affective. Une vie de pauvreté vécue dans la dignité. «La dignité est le bien le plus précieux. C'est un habitacle heureux, stable, un repère tant pour soi que pour autrui. (...) Le meilleur moyen de la préserver est encore de l'entretenir chez les autres. Dans la reconnaissance mutuelle, nous savons ce que nous valons. (...) La dignité est l'ultime protection du pauvre. Or nous étions pauvres. Rien donc ne m'était plus cher». (p. 60)

Le lecteur est captivé par une description poignante de temps troublés, s'il en fut, il est secoué par l'émergence de questions qui «creusent la vie», et notre actualité. C'est un roman, certes, mais bien plus, c'est un livre pour notre temps. «À l'heure où le mot 'démocratie' sert essentiellement à maquiller une ploutocratie de plus en plus mondiale, il n'est pas vain de s'intéresser à Comenius». (p. 12)

Le roman nous invite à suivre le personnage qui en est le centre, au travers du regard de sa fille aînée, Elizabeth. Elle raconte un pan de son histoire, de leur histoire à tous deux. «Il me faisait grimper sur la première branche de l'arbre et nous regardions Leszno s'agiter. Il me demandait d'observer et de nommer ce que je voyais. Mais je n'arrivais jamais à me souvenir des mots. Alors il reprenait depuis le début ». (p. 49) « Pour mon père, c'était là un microcosme. L'eau semblait disparaître dans le trou. En fait, elle plongeait dans une minuscule caverne et ressortait quelques coudées plus loin. C'est là qu'il nous enseignait, à Ludmila et moi, l'idée que la connaissance résultait de la rencontre de quatre sources : soi, la nature, la Révélation et autrui». (p. 53-54)

Si la fille nous conte son père, elle se raconte aussi à elle-même. Ainsi décrit-elle sa naissance à la vie de femme et de mère : « Mon bébé suçait le lait avec l'avidité de l'oisillon. Devais-je lui enseigner le renoncement? Non! Du vide et de l'incertitude, il fera l'air sous ses ailes ». (p. 19) Elle dit aussi son apprentissage d'éducatrice, sa naissance à l'amour et à elle-même: «Que signifie le verbe aimer? Si je demandais aux enfants d'aller chercher quelque chose qu'on pût nommer «amour» que rapporteraient-ils? Comme pour le nombre zéro, sa silhouette semblait partout, sa substance, nulle part » (p. 114); «Révérend mon mari me manquait beaucoup et pourtant, j'appréhendais son retour. J'avais tellement changé. Je ne savais plus si je l'aimerais ou s'il resterait à jamais l'étranger de mon lit. » Elizabeth vit pour les autres, pour son père, pour son mari, pour ses enfants et son travail d'enseignante. Un beau jour, elle se retrouve veuve, seule avec cinq enfants; elle se rend alors en Prusse et s'y consacre à l'art sacré de l'éducation. «Je devais me débrouiller. C'était à moi à apprendre comment apprend chaque enfant». (p. 113)

Ce roman est une histoire d'amour, celui entre un père et une fille, l'amour entre une femme et son mari et l'amour d'une mère pour ses enfants. Elizabeth parle de son père: «Il n'ordonnait rien, n'indiquait ni la direction, ni la trajectoire. Non, il était là comme mon assise ». (p. 17) Elle commente *La création d'Adam*, œuvre d'un certain Michel-Ange. «Adam, nu, appuyé sur son coude tend la main gauche à son père qui vient à lui, transporté par des anges peinant sous son poids. Le père offre la main droite à son fils, mais leurs doigts ne se touchent pas. Tout le tragique de la création repose dans ce geste incomplet, dans le petit espace électrique et périlleux de leur relation. On ne donne pas la vie, la vie prend feu dans l'espace inflammable du cœur». (p. 18)

En parlant de son premier fils, Elizabeth exprime l'essentiel d'un amour qui, loin d'étouffer ou d'enfermer l'autre, lui donne des ailes pour découvrir le monde. Ainsi nous transmet-elle le centre du message de Comenius, que Jean Bédard partage : « Viens mon papillon! Je te garde. J'irai te reconduire jusqu'au moment où tu pourras devenir ton propre commencement» (p. 19); «Tenant mon petit devant moi avec pour principale responsabilité, non pas de me transcrire en lui, mais de le reconduire au vertige de sa liberté, je me suis vue petite fille entre les deux puissantes mains de révérend mon père. Il m'avait si souvent tenue ainsi entre ciel et terre, à bonne distance de sa poitrine comme s'il avait voulu me détacher de lui, me donner à moi-même, produire la distance créatrice (...) Dans le tableau de Michel-Ange, Adam doit faire un bond de deux centimètres dans le vide pour rejoindre Dieu, sa propre source créatrice. C'est le saut nécessaire à la vie...» (p. 20)

Le roman se termine par de très belles pages d'Elizabeth au sujet de sa recherche d'elle-même, fille, épouse, amante, mère et éducatrice... « J'avais aimé deux hommes, celui qui m'avait donné la vie et celui qui m'avait donné l'amour de la vie. J'avais obéi sans réserve. Je les avais perdus. J'avais tenu le coup. J'avais été une mère jusqu'au bout (...) Mais mon moïse a des ailes maintenant et un terrible désir d'envol...» (p. 313)

Le Québécois Jean Bédard vit à Saint-Fabien sur mer, aux portes de la Gaspésie. Il est connu aussi bien comme romancier, que comme philosophe et travailleur social. C'est un pédagogue qui sait communiquer son savoir philosophique, son amour de la vie, sa passion pour la nature. J'ai la chance de l'accueillir en Suisse, au Centre Améthyste, lors de sessions destinées aux travailleurs sociaux au sujet des situations intolérables et des personnes rejetées et méprisées. J'ai particulièrement apprécié de collaborer au deux derniers séminaires d'été durant lesquels il permet à plus de cent personnes de partager ses réflexions et ses préoccupations (T*elle une œuvre d' art, la vie,* actes du séminaire de 2002 est disponible en librairie). En juin 2004, il envisage de conduire à Lausanne le séminaire «Éducation de la vie spirituelle» qui a eu lieu en août 2003 à Bic, au Camp du Cap à l'Orignal.

Christiane Besson
Centre Améthyste (Lausanne)

Connaissant les auteurs pour leur rigueur et ayant participé pendant trois ans à des séminaires sur la métapsychologie freudienne dont ils étaient les animateurs, c'est donc avec un grand plaisir et une vive curiosité que j'ai parcouru leur livre. Travaillant depuis plus de vingt ans comme psychologue et psychothérapeute psychanalytique auprès d'une clientèle criminelle masculine adulte, cet essai m'est apparu d'une grande richesse, d'autant plus que la littérature comporte très peu d'ouvrages de référence substantiels dans le domaine de la délinquance, en particulier au niveau de la compréhension des enjeux psychodynamiques impliqués dans l'agir délictuel qui prend un sens différent pour chaque individu. Il est heureux de voir paraître un livre qui se préoccupe de comprendre et d'aider le délinquant, alors que notre société se veut plus répressive pour qui commet des actes criminels, particulièrement envers les jeunes délinquants.

Le premier chapitre met en place le cadre conceptuel nécessaire à la compréhension des aspects théoriques qui seront présentés et élaborés dans les chapitres suivants de la première partie. L'originalité et le souci de ce livre consiste en la compréhension de celui qui commet un acte criminel, l'auteur d'un agir délictuel n'étant pas ici réduit à la somme de ses comportements, mais plutôt appréhendé de façon beaucoup plus complexe et surtout plus humaine. La psychocriminologie, inspirée de la psychanalyse, se veut donc une psychologie de l'individu qui commet des actes criminels, plutôt qu'une simple psychologie du comportement criminel.

Je retiens particulièrement la spécificité de l'apport psychanalytique qui demeure, encore aujourd'hui, le seul modèle théorique permettant de décrire le fonctionnement psychique du délinquant. L'auteur d'un acte criminel est compris sous l'angle de sa conflictualité psychique, jeu de force entre les pulsions et les défenses, cette notion de conflictualité constituant l'emprunt central fait par une approche psychodynamique au corpus théorique psychanalytique. L'Idéal du Moi (projection sur l'avenir), le Moi idéal (fantaisies de grandeur) et le Surmoi (instance interdictrice) s'avèrent ici des notions clés. Les auteurs font ressortir que le délinquant est davantage sensible aux sentiments de honte résultant d'une tension entre le Moi et ses idéaux, qu'au sentiment de culpabilité.

Dans le deuxième chapitre, les auteurs passent en revue les travaux des principaux auteurs psychanalytiques de l'école européenne

La psychocriminologie
Apports psychanalytiques et applications cliniques

Dianne Casoni
Louis Brunet

Presses de l'Université de Montréal
2003, 239 pages

(189)

qui ont contribué de façon significative à la compréhension psychody-namique de celui qui commet des actes délictueux. Ils présentent la pensée des auteurs germanophones et anglo-saxons qui se sont intéressés surtout aux faillites de l'environnement familial et ses impacts sur le développement du jeune. Ils rappellent ainsi le travail d'Aichorn à propos des lacunes parentales, que ce soit par excès d'amour, par excès de sévérité ou les deux attitudes entremêlées. Ils soulignent l'apport de Melanie Klein qui postule l'existence d'un surmoi primitif extrêmement sévère, projeté dans le monde extérieur, qui enferme l'enfant dans un cercle vicieux d'attaques et de contre-attaques à des fins d'autoprotection et de survie. Ils mettent aussi en valeur la contribution de Winnicott qui voit, quant à lui, un acte d'espoir exprimé dans la tendance antisociale qui est une tentative, par l'enfant, d'obliger l'environnement à s'impliquer auprès de lui et à s'occuper activement de ses besoins.

Du côté des auteurs européens francophones, qui s'intéressent davantage à l'individu porteur de sa propre conflictualité psychique, Casoni et Brunet mentionnent, entre autres, la notion d'engagement et de désengagement affectif présenté par De Greff, où les instincts de sympathie doivent primer sur les instincts de défense. Ils présentent le travail de Balier qui propose une étude psychana-lytique du fonctionnement des criminels violents, soutenant que le point de vue économique est de première importance dans la compréhension des comportements violents où aucune tension ne peut être contenue. L'apport de Balier occupe une place centrale dans l'étude du délinquant habituel.

Le chapitre trois recense de façon exhaustive les travaux des auteurs psychanalytiques appartenant à l'école nord-américaine. Je retiens pour ma part le travail d'Otto Kernberg, cité par les auteurs, qui constitue un apport fondamental à la théorisation moderne du fonctionnement psychique du criminel, avec sa compréhension de l'organisation narcissique de ces individus, les vicissitudes de la rage et de l'envie de détruire chez eux. Au niveau du traitement, les auteurs rappellent que Kernberg insiste sur la nécessité d'un cadre ferme et sécuritaire comme premier objectif thérapeutique pour faire face au transfert psychopathique marqué par le désir conscient du délinquant de tromper le thérapeute. Ce transfert peut évoluer en transfert paranoïde où les représentations de soi et d'autrui, en terme d'opposés dynamiques, font l'objet du travail interprétatif du thérapeute visant au développement de réels sentiments de culpabilité et de sollicitude pour autrui, par opposition à des sentiments de persécution interne.

Dans le quatrième chapitre, les auteurs abordent les processus d'identification, ce qui en fait, à mon avis, un chapitre important pour la thèse qu'ils soutiennent. Introduite par Freud en 1900, les auteurs soulignent que la notion d'identification est un processus constitutif de la personnalité et s'avère déterminante dans le devenir des jeunes dont il est question dans cet ouvrage. Ils présentent l'apport de Freud à ce concept et traitent de l'identification projective, identifiée par Klein, de l'identification projective intrusive, présentée par Meltzer, et à visée communicative, telle que décrite par Bion. L'identification est aussi discutée en rapport avec les instances psychiques (Ça, Moi, Surmoi), les auteurs faisant ressortir l'apport d'André Lussier concernant des distinctions conceptuelles clés en regard de l'identification au niveau du Surmoi et de l'Idéal. Plus utilisée par le délinquant, l'identification à l'agresseur constitue un mécanisme puissant par lequel l'individu fait subir à autrui l'agression qu'il a vécue, passant ainsi d'une position passive à une position active, soit de menacé à menaçant. Les auteurs soulignent la position d'André Lussier postulant que lorsque l'identification à l'agresseur devient un processus important dans la structuration de la personnalité, celle-ci favorise l'établissement et le maintien du Moi idéal.

Dans le chapitre cinq, les auteurs présentent leur propre modèle du fonctionnement psychodynamique du délinquant. Ils énoncent que l'agir délictuel n'appartient pas à une organisation psychique spécifique mais qu'il peut s'inscrire dans une structuration qui privilégiera l'agir. C'est l'analyse du sens inconscient de cet agir qui permet d'en saisir les différentes motivations selon qu'il s'agit d'un délinquant névrosé ou d'un délinquant habituel pour qui l'agir délictuel a une fonction économique prédominante et stable par la décharge des tensions. Les auteurs démontrent que le Moi idéal occupe une place centrale dans la compréhension de la dynamique délinquante. En s'alliant au Moi du délinquant, le Moi idéal lui procure l'illusion d'un sentiment de toute-puissance qui prime sur les interdits du Surmoi. Ce dernier, vécu comme sadique et cruel, est projeté à l'extérieur, d'où la méfiance du délinquant, sa tendance à se sentir jugé par autrui et à réagir agressivement.

Les auteurs font aussi ressortir que les traumatismes relationnels répétés (de rejet et de maltraitance) vécus au cours de l'enfance engendrent une menace importante de perdre l'objet, d'où leur impact déterminant dans l'expression de la haine et de la violence par le mécanisme de l'identification à l'agresseur, auquel s'ajoute le mécanisme de désidentification qui permet alors de déshumaniser l'autre. L'expression de la violence qui s'ensuit est vue comme une défense contre le désespoir suscité par la crainte de perdre le lien à l'autre. Dans la violence, l'envie joue aussi un rôle prépondérant puisqu'il conduit à la destruction de l'objet qui est perçu comme inaccessible. Contrairement au psychotique, le délinquant reste ancré dans la réalité, espérant toujours trouver ce bon objet idéalisé qui ne peut être trouvé puisqu'il ne s'avère jamais satisfaisant.

Faisant suite à cette partie théorique, qui place au premier plan la contribution des travaux psychanalytiques des cent dernières années à la compréhension de l'individu qui a commis des actes criminels, les auteurs présentent des applications cliniques qui viennent pertinemment illustrer certains des concepts théoriques déjà élaborés.

Comme le mentionnent les auteurs, la violence conjugale n'est plus une affaire privée, principalement depuis l'avènement du féminisme. Dans le chapitre six, ils abordent les relations passionnelles et la violence conjugale. Ils présentent les portraits saisissants de quatre couples aux prises avec de la violence conjugale. Ils ont délibérément choisi des cas où les femmes subissent une violence physique gravissime de la part de leur partenaire. Chacun des deux conjoints témoignent du pire incident de violence vécu ensemble. Pour chacun des couples, les auteurs décrivent le scénario relationnel ayant donné lieu à ces actes de violence en s'appuyant sur des notions théoriques présentées au cours de la première partie. L'élément psychodynamique commun que les auteurs identifient chez ces hommes violents consiste en la peur de perdre le contact avec l'être cher, ce qui éveille en eux une angoisse intolérable conduisant à une décharge de tension par l'agir violent, la conjointe étant alors perçue de façon déshumanisée. Les auteurs énoncent cinq propositions psychodynamiques en rapport avec les hommes violents puis concernant les femmes victimisées, qui aident à comprendre pourquoi ces couples restent prisonniers de leur relation passionnelle violente, malgré les souffrances associées à leur lien. Ils font valoir que la notion de relation passionnelle s'étend à des formes de relation autres que conjugales.

Dans le septième et dernier chapitre, les auteurs présentent cinq histoires de cas dont les trois premières isolent des composantes de la dynamique délinquante touchant le narcissisme. Pour sa part, le quatrième cas décrit la trajectoire de vie d'un homme, depuis son enfance jusqu'à sa sortie de son mode de vie délinquant. Les auteurs démontrent que la chute du narcissisme, décrite par Noël Mailloux (1971), constitue un point tournant dans l'évolution de cette trajectoire puisqu'elle conduit à un désinvestissement du Moi idéal et en l'émergence d'affects dépressifs importants. C'est une phase critique puisqu'elle peut conduire à des tentatives de suicide, comme dans l'histoire touchante de Victor. C'est la rencontre avec un bon objet qui amène Victor à se sortir de sa descente aux enfers et reprendre espoir. Les auteurs rappellent Maurice Cusson (1974) qui parle du rôle joué par un lien interpersonnel comme facteur déterminant dans la réhabilitation des jeunes délinquants. Le dernier cas montre l'utilisation, par Frédérica, de l'identification projective à visée communicative pour amener l'autre à reconnaître l'ampleur de sa détresse, qu'elle n'est pas en mesure de mettre en mots.

Pour conclure, ce livre constitue un ouvrage de référence incontournable pour tout clinicien intéressé à comprendre ce qui se joue au plan psychodynamique derrière l'agir délictuel. L'ouvrage allie avec bonheur les conceptualisations psychanalytiques fondamentales à la compréhension du délinquant, présentées en première partie, aux applications cliniques de la seconde partie, joignant ainsi le plaisir de la connaissance au vivant de la réalité clinique. Je ne peux que rendre hommage aux auteurs, Dianne Casoni et Louis Brunet, et les remercier de leur valeureuse contribution à la compréhension psychodynamique de l'agir criminel et de la violence passionnelle, champs d'étude qui ont été très peu explorés, ce qui fait la richesse et l'originalité de leur ouvrage.

Nathalie Couture
Psychologue et
psychothérapeute psychanalytique

Références

Cusson M. *La resocialisation du jeune délinquant.* Montréal: PUM, 1974, 153 p.

Mailloux N. *Jeunes sans dialogue.* Paris: Fleurus, 1971.

Miller WB. (1994) Boston Assaultive Crime. Cité in: **Howell JC.** (ed.) *Juvenile Justice and Youth Violence.* Thousand Oaks, CA: Sage Publications, 1997, 120.

Thérapie familiale de l'adolescent anorexique
Approche systémique intégrée

Solange Cook-Darzens

Paris: Dunod
2002, 252 pages

Solange Cook-Darzens est psycholoque clinicienne et psychothérapeute à l'hôpital Robert Debré à Paris. Dans cet ouvrage, elle nous livre le fruit de plusieurs années d'expérience et d'analyse critique de la littérature scientifique dans le domaine des troubles alimentaires. Dans le premier chapitre, via un bref survol des contributions des approches structurale et systémique à la thérapie familiale de l'adolescent anorexique, sont retracées les premières conceptions du rôle de la famille dans l'étiologie et le maintien de l'anorexie. La vision prédominante conférait alors un rôle pathogène à la famille. Minuchin dans sa théorie de la 'famille psychosomatique' voit l'anorexie comme un mode de transformation ou de détournement d'un conflit familial préexistant. Le rôle régulateur que joue l'adolescent anorexique vient renforcer le symptôme. Les buts thérapeutiques visent alors à intervenir dans l'enchevêtrement, la rigidité, la surprotection, l'absence de résolution de conflits ou encore la triangulation de l'adolescent-symptôme. Le thérapeute intervient de façon directive avec différentes techniques de restructuration familiale.

L'approche de Selvini-Palazzoli met plutôt l'accent sur les processus de communication intra-familiale et la fonction adaptative de l'anorexie à un type de famille en particulier. Dans ces familles se retrouvent souvent une cohésion familiale très forte, une valorisation accrue du sacrifice de soi, une insistance sur le contrôle pulsionnel des émotions, de la nourriture et de la sexualité, et un sentiment très fort de justice. Ces caractéristiques contribuent à former un couple parental dysfonctionnel mais stable. Alors que, de l'avis de ces deux écoles, l'hermétisme semble caractériser ces familles, il est pour le moins ironique de constater que les différences dans le langage propre à chacune de ces écoles pour décrire ces caractéristiques familiales aient nui au partage d'idées entre ces deux mêmes écoles. Ces deux modèles bien que non fondés sur des études empiriques ont grandement guidé les perceptions et les pratiques des cliniciens qui côtoient ces familles d'anorexiques.

La contribution de ces approches est traitée avec objectivité et respect par l'auteure qui, elle-même, a adhéré à ces mêmes modèles à une certaine époque, i.e. avant la venue des connaissances révélées par les études empiriques. Faisant preuve d'intégrité et de sagesse, Cook-Darzens admet d'ailleurs avoir porté une attention sélective à ces caractéristiques familiales; de telles familles existent,

(194)

bien qu'elles ne soient pas représentatives de toutes les familles d'anorexiques.

Dès le deuxième chapitre sont abordées les études empiriques et les modélisations de la deuxième génération, qui culpabilisent moins la famille. Les difficultés de la famille sont donc abordées sous un jour plus positif; l'alliance thérapeutique avec la famille devrait s'en trouver facilitée. Les années quatre-vingt ont vu l'émergence de résultats d'études empiriques qui infirmaient la conception d'une causalité familiale spécifique de l'anorexie et d'un retentissement familial unique. Ces données empiriques nouvelles intégrées à une approche biopsychosociale et aux apports de la psychiatrie féministe ont permis l'éclosion de conceptions théoriques et de pratiques cliniques novatrices.

En résumé, l'ensemble des résultats de ces études empiriques confirme l'efficacité des thérapies d'orientation familiale dans le traitement de l'anorexie mentale. Ainsi, l'anorexie non chronicisée chez l'adolescente ou la préadolescence répond particulièrement bien à l'approche familiale. À partir de la fin de l'adolescence, les facteurs individuels prenant plus d'importance, la place des thérapies individuelles dans le processus thérapeutique s'en trouve accrue. Quant à l'ingrédient le plus actif des thérapies familiales, il semble résider dans une approche parentale cohérente et bien impliquée dans la gestion au quotidien des troubles alimentaires. Dans le cas de familles plus conflictuelles avec un niveau élevé de critique et d'hostilité, une approche familiale séparée (rencontres individuelles avec l'adolescente anorexique et rencontres parentales avec au besoin la participation de la fratrie) où l'on évite de s'enliser dans des confrontations blessantes et des messages culpabilisants et destructeurs, donne de meilleurs résultats.

Au troisième chapitre, l'auteure fait une revue des nouveaux modèles écosystémiques où l'on retrouve le triangle individu-maladie-famille, du modèle biopsychosocial au modèle centré sur les croyances familiales en passant par les modèles psychosomatiques issus de la médecine familiale dont le modèle systémique de santé de Rolland (et son quadrangle thérapeutique comprenant la famille, le patient, le processus de maladie, et le système de soins) et le modèle familial biocomportemental de Wood, les modèles centrés sur la résolution de problèmes qui s'appuient sur l'identification des forces et des vulnérabilités d'un système, tout en intégrant les apports de la critique féministe et les théories et recherches sur les processus familiaux normaux et les facteurs de résilience. Les apports théoriques des courants tels que le constructionisme et la thérapie narrative ont donné un rôle plus actif à la famille dans la constitution et la cogestion de l'espace thérapeutique. Les récents développements théoriques et empiriques ont vu naître des pratiques thérapeutiques empreintes de plus de souplesse et de pragmatisme.

Dans le quatrième chapitre, l'auteure présente de façon claire et critique les modèles 1) de stratégie d'orientation familiale de Vanderlinden et Vandereycken en Belgique, 2) systémique de Maudsley de Londres, 3) de thérapie comportementale des systèmes familiaux de Robin aux États-Unis et 4) des approches familiales françaises. Les trois premiers modèles partagent des perspectives communes quant à la vision biopsychosociale à la fois scientifique et praticienne, l'ouverture, l'éclectisme et l'intégration, la priorité donnée au traitement ambulatoire, l'importance que le traitement familial soit compatible avec une prise en charge institutionnelle, et l'engagement à long terme.

La deuxième partie du livre qui débute avec le cinquième chapitre porte sur la consultation familiale intégrée. L'auteure présente d'abord le contexte hospitalier où elle œuvre. Il s'agit d'un milieu où la moyenne d'âge est de 14 ans 9 mois dans lequel sont surreprésentées les anorexies de début précoce et d'évolution relativement récente. La consultation familiale « cherche à compléter et à organiser les autres approches médicale, soignante, diététique, psychothérapeutique dans une perspective écosystémique qui se veut aussi intégrée que possible ». Qu'elle se déroule en ambulatoire ou dans le cadre d'une hospitalisation, un des principaux avantages de la consultation familiale réside dans la pleine intégration du travail familial dans la prise en charge institutionnelle dès le premier contact des soignants avec l'adolescente et sa famille. Cette approche vise le maintien ou la réintégration de l'adolescente dans sa famille. Elle constitue un précieux outil de jonction entre la famille et l'équipe ou entre somatique et psychologique.

L'auteure expose certains problèmes ou limites relatifs à cette approche dont les problèmes de confidentialité, les demandes en temps professionnel et les mésententes quant aux objectifs thérapeutiques avec certaines familles très dysfonctionnelles.

Au chapitre six, elle explique les constituantes de l'évaluation familiale, soit les axes d'investigation principaux de l'histoire de l'adolescente, de son trouble, de la famille et des démarches diagnostiques et thérapeutiques antérieures à cette consultation. L'auteure suggère ici des échelles pouvant aider à objectiver des dimensions telles la structure et l'organisation familiale, la communication intra-familiale et l'affect familial, et le recours au génogramme pour situer les aspects historiques. L'importance d'identifier les systèmes de croyances, les images internes, la qualité du réseau social et les compétences et ressources de la famille y est également abordée.

Le chapitre septième présente en lien avec des vignettes cliniques pertinentes l'organisation de la consultation familiale autour des quatre niveaux d'intervention suivants, soit la construction d'une alliance thérapeutique, la guidance psycho-éducative, le renforcement de la fonction exécutive parentale et le repositionnement par rapport au trouble, et enfin, l'ouverture vers d'autres horizons.

Dans le chapitre suivant, l'auteure grâce à une mise en scène des différentes interventions de la consultation familiale nous rend bien vivants les processus impliqués. Au moyen d'une série d'entretiens familiaux de la première phase de traitement d'une adolescente anorexique de 12 ans, les quatre niveaux d'intervention décrits au chapitre précédent et la façon dont ils s'articulent sont ainsi rendus plus clairement.

Le neuvième chapitre sur la phase de thérapie familiale s'annonce comme un mode à suivre du travail de restructuration plus en profondeur de l'organisation et des interactions des familles considérées plus à risque et/ou qui vivent une souffrance plus intense en lien avec une insatisfaction familiale. On y retrouve plutôt divers outils additionnels pertinents pour relancer le processus thérapeutique lors de constellations individuelles et familiales sujettes à la chronicisation. Il s'agit du seul chapitre dont la pertinence au sein de l'ouvrage peut paraître douteuse, mais qui, selon nous, trouvera certainement sa place dans un prochain travail.

La troisième partie se consacre aux abords spécifiques. L'auteure aborde d'abord, dans le chapitre dix, les singularités diagnostiques, pronostiques et thérapeutiques de l'anorexie péri-pubère. De phéno-ménologie globalement identique à la forme adolescente, elle implique davantage la famille comme partenaire thérapeutique principal, en raison de la dépendance accrue de l'individu plus jeune face à sa famille. Au onzième chapitre, l'auteure signe un apport original à la littérature en faisant d'abord une revue de la mince littérature scientifique sur la fratrie, à l'exclusion des quelques études épidémiologiques sur la co-occurrence des troubles alimentaires ou d'autres troubles mentaux dans la fratrie d'adolescentes anorexiques, qui n'apportent que très peu dans la compréhension des facteurs étiologiques, perpétuants ou thérapeutiques en lien avec la fratrie. Par la suite l'auteure suggère des pistes d'intégration de la fratrie dans le processus diagnostique et thérapeutique et rappelle les souffrances et les besoins propres à la fratrie.

Le douzième et dernier chapitre est consacré aux cas particuliers et difficiles, dont l'anorexie du garçon, les situations interculturelles, les difficultés à mobiliser certains membres de la famille, les familles « difficiles » et les familles « en difficulté ».

L'auteur fait preuve de pragmatisme et de générosité en fournissant en annexe un glossaire, certains questionnaires pertinents, un guide d'entretien familial centré sur les ressources familiales ainsi qu'un deuxième guide d'entretien semi-structuré avec la fratrie bien portante d'enfants et d'adolescents avec des troubles des comportements alimentaires.

Il s'agit donc d'un ouvrage colossal qui s'inspire et s'appuie sur une solide connaissance théorique et clinique de la thérapie familiale de l'adolescente anorexique. La synthèse critique des résultats provenant d'études scientifiques s'avère on ne peut plus éclairante, présentée par cette chercheure clinicienne d'expérience. Le tout est livré de façon extrêmement bien structurée dans un style sobre empreint d'intégrité et illustré de nombreuses vignettes cliniques pertinentes. Ce livre constitue un ouvrage indispensable pour toute personne oeuvrant auprès des enfants et adolescentes atteints de troubles des comportements alimentaires et leurs familles.

Jean-François Bélair
Psychiatre et Chef médical
Pavillon Stearns, Hôpital Douglas

Recommandations
aux auteurs

Toute personne intéressée à soumettre un texte à la revue est invitée à le faire en tenant compte des règles de présentation suivantes.

Le texte soumis doit être dactylographié à double interligne et sa longueur ne doit pas excéder 15 pages. Les tableaux, figures et illustrations seront numérotés et produits sur des pages séparées et leur emplacement dans le texte indiqué dans chaque cas. Les citations doivent être accompagnées du nom de l'auteur et de l'année de publication du texte cité, sans numérotation. De même, les références à des livres ou articles sont placées dans le texte en mentionnant le nom de l'auteur entre parenthèses.

La liste des références en fin de texte ne doit contenir que les noms des auteurs cités dans le texte. Pour sa présentation, on se reportera aux exigences pour les manuscrits présentés aux revues biomédicales (Can Med Assoc J., 1992) ou aux numéros précédents de la revue.

L'auteur doit faire parvenir trois exemplaires sur papier de son texte (+ disquette 3.5 des logiciels Word ou Word MacIntosh) accompagné d'un résumé en français et en anglais et d'une brève note de présentation indiquant sa discipline professionnelle et ses champs d'activité.

Le texte sera soumis anonymement à trois membres du comité de lecture pour arbitrage et leurs remarques seront ensuite communiquées à l'auteur.

Aux auteurs dont la langue maternelle est autre que le français, la rédaction offre un service de révision linguistique pour faciliter l'édition de leurs textes.

Adresse de la Rédaction:

> Revue PRISME
> Département de psychiatrie
> Hôpital Sainte-Justine
> 3100, rue Ellendale
> Montréal (Québec) H3S 1W3
>
> Pour toute autre information:
> Tél.: (514) 345-4931 poste 5701
> Télécopieur: (514) 345-4635
> Courriel : denise_marchand@ssss.gouv.qc.ca

Formulaire d'abonnement 2004

Abonnement **régulier (1 an - 2 numéros) : 40.26 $** (35,00$+TPS+TVQ)
Abonnement **régulier (2 ans - 4 numéros) : 57.51 $** (50,00$+TPS+TVQ)
Abonnement **étranger (1 an) : 25 euros** (par carte de crédit)

☐ **Nouvel abonnement**   ☐ **Renouvellement**

Nom: _____ Profession: _____

Adresse: _____

Ville : _____ Province: _____ Code postal: _____

Téléphone: ( ) _____

Anciens numéros: vol 1 à vol 8 : 15,00 $ (14.02$ + TPS)/14 euros
no 28 et plus : 20,00 $ (18.69$ + TPS)/14 euros

☐ vol 1 no 1 (#1)	☐ vol 3 no 2 (#10)	☐ vol 6 no 1 (#19)	☐ #28	☐ #36
☐ vol 1 no 2 (#2)	☐ vol 3 no 3 (#11)	☐ vol 6 no 2-3 (#20)	☐ #29	☐ #37
☐ vol 1 no 3 (#3)	☐ vol 3 no 4 (#12)	☐ vol 6 no 4 (#21)	☐ #30	☐ #38
☐ vol 1 no 4 (#4)	☐ vol 4 no 1 (#13)	☐ vol 7 no 1 (#22)	☐ #31	☐ #39
☐ vol 2 no 1 (#5)	☐ vol 4 no 2-3 (#14)	☐ vol 7 no 2 (#23)	☐ #32	☐ #40
☐ vol 2 no 2 (#6)	☐ vol 4 no 4 (#15)	☐ vol 7 no 3-4 (#24)	☐ #33	☐ #41
☐ vol 2 no 3 (#7)	☐ vol 5 no 1 (#16)	☐ vol 8 no 1 (#25)	☐ #34	☐ #42
☐ vol 2 no 4 (#8)	☐ vol 5 no 2-3 (#17)	☐ vol 8 no 2 (#26)	☐ #35	
☐ vol 3 no 1 (#9)	☐ vol 5 no 4 (#18)	☐ vol 8 no 3 (#27)		

ISSN: 1180-5501   **Total :** _____

Les prix sont en dollars canadiens et incluent les frais de port et les taxes

☐ Porter au compte de la carte de crédit   ☐ Visa   ☐ Master Card

Numéro de la carte_____ Date d'exp. _____

Signature _____

☐ *Le chèque ou le mandat doit être fait à l'ordre de:*

Hôpital Sainte-Justine
Adresse de retour :   PRISME - Service des publications
Hôpital Sainte-Justine
3175, chemin de la Côte-Ste-Catherine
Montréal (Québec) H3T 1C5

Pour information: **Thérèse Savard**
Vente et abonnements   tél: (514) 345-4671   fax: (514) 345-4631
email: therese_savard@ssss.gouv.qc.ca

DIFFUSION EN EUROPE:
France: **Cedif - Casteilla**
Belgique: **S.A. Vander**
Suisse: **Servidis S.A.**